나의 삶은
행복했는가

나의 삶은 행복했는가

발　행 | 2024년 08월 01일
저　자 | 김용수
펴낸이 | 한건희
펴낸곳 | 주식회사 부크크
출판사등록 | 2014.07.15.(제2014-16호)
주　소 | 서울특별시 금천구 가산디지털1로 119 SK트윈타워 A동 305호
전　화 | (02) 1670-8316
이메일 | info@bookk.co.kr

ISBN | 979-11-410-9914-5

나의 삶은 행복했는가

김용수 지음

이 책 쓰면서

　모두가 행복한 삶을 위해 부단히 노력하지만 그 목표에 도달하는 사람은 과연 얼마나 될까? 행복에 관한 책들이 이미 너무나 많은데, 서점에 새로운 책들이 계속 쌓이고 있는 것을 보면, 행복에 도달하고자 하는 사람은 많아도 그 목표에 도달한 사람은 별로 없는 것 같다.

　누구든지 행복할 수 있다. 그것은 매우 쉬운 일이다. 그러나 올바른 대상에게, 올바른 정도로, 올바른 시간 동안에, 올바른 목적으로, 올바른 방법으로 행복하는 것은 누구나 할 수 있는 일이 아니다. 또한 결코 쉬운 일이 아니다.

　생태계는 조화로움을 통해 건강해진다. 어느 한 부분이 건강해진다는 것은 전체가 건강해지는 것임을 알아야 한다. 생태계는 독립적인 한 종만을 위해 존재하는 것이 아니다. 사람도 기업도 경제도 마찬가지다.

　요즘 직업에 뛰어든 청년들을 보면 젊은 날의 나를 보는 것 같다. 나는 이들에게 이런 얘기를 해주고 싶다. 지금껏 우리가 배워온 이분법적 사고에서 벗어나 다양한 색깔로 세상을 보아라. 나와 다른 사람과 사고가 존재하는 것이지, 그것이 틀림은 아니다.

　부정하는 것보다 긍정하는 법을 배워라. 생각이 말이 되고 말이 행동이 된다. 스쳐 지나는 사람, 꽃, 날씨 하나에도 호기심과 경이로움을 멈추지 않는 것이 중요하다. 경이로움은 주변에 대한 사랑을 만든다. 미래는 예측할 수 없지만 그래도 만들어가는 것이다.[1]

솔직히 글을 쓴다는 게 쉬운 일이 아니다. 문장 하나를 쓰더라도 머릿속 창고에서 최적의 표현을 찾아내는 작업이 녹록지 않다. 그러니 글을 쓰는 과정서 늘 심리적 압박에 휘달리기 일쑤이며 잘 써지지 않을 땐 몇 줄의 진척도 없이 글은 천리 밖으로 달아나고 만다.

이제 당신도 자서전을 쓰고 싶지 않겠는가? 자서전은 나이든 사람들, 나름 인생을 다 산 사람들만의 전유물이 아니다. 오히려 남은 인생이 더 많은 사람, 즉 아직도 젊은이들에게 유리한 인생 반전의 기회를 안겨줄 수 있다고 믿고 싶다. 그렇다. 자서전은 미래를 준비하는 내 인생의 전망대다. 그래서 현명한 사람이라면 누구라도 도전해볼 만한 가치가 있는 우리 인생의 위대한 프로젝트다.

멀리, 내 인생의 동서남북을 바라보며 다가올 나만의 인생 이야기, 나 자신이 그 이야기의 진정한 주인공이 되어 내 자서전을 만들어보자. 그것은 살아온 날들을 돌아보며 장차 내가 살아갈 날들을 준비하자는 것이고, 미래를 후회 없이 용기 있게 맞이하자는 것이며, 건강하고 아름다운 인생 만들기를 시작해 보자는 것이다.

100세 시대라는데 그저 반갑지만은 않다. 고희(古稀)를 넘어서 보니 항산(恒産)은 불안정해지고 고뇌는 깊어진다. 은퇴 시점을 종착역으로 받아들여야 할지, 이모작을 시작하는 출발점으로 잡을 것인지는 오롯이 나의 몫일 터다.[2]

---

1) 한무경. 또 다른 '젊은 나' 꿈꾸며, 매일경제, 2017. 6. 26.

돌이켜 보면 20대 후반 패기 하나로 홀로 섰다. 나이 망팔(望八)에 접어든 지금은 마음을 나눌 내 편이 곳곳에 포진해 있지 않은가. 이쯤에서 만절(晚節)이라는 말을 반추해 본다. 나이 들어서도 절개를 잃지 않고 더욱 소중히 여긴다는 그 의미를 가슴속에 새긴다.

　　자서전은 어떤 사람이 과거에 경험한 일을 자신의 이름으로 저술한 책을 말한다. 자신에 대해 솔직하게 고백하듯 써 내려간 책이므로 나로서는 책의 무게와 책임감이 여느 책들과는 전혀 다르다. 자신의 전 인생이 발가벗겨진 채로 세상에 나가기 때문이다. 지나온 인생에 대해 이런 식으로 말할 용기를 가졌다면, 남은 인생에 대해서도 더는 두려울 것이 없을 것이다.

　　옛날의 학창시절, 아빠 엄마의 연애담, 그 시절 먹거리, 놀이문화 같은 시시콜콜한 이야기에 귀를 쫑긋 세운다. 사실 자식들은 부모의 삶에 관심이 많다. 단순히 흥미를 넘어 그 이야기 속에서 의미를 찾고 자신의 삶에 지침으로 삶으려 한다.

　　자식 입장에서는 부모님이 더 나이 들기 전에 그분들의 삶을 알고 간직하고 싶기 때문일 것이다. 긴 시간, 최선을 다해 살아온 삶의 자체가 자식들에겐 그 무엇과도 바꿀 수 없는 값진 유산이다.

2024년 8월

海東 김용수 씀

---

2) 함성중. 인생 이모작, 제주일보, 2022. 12. 15.

차례

춘매(春梅)가 꽃을 피웠다

김용수

내가 사랑한 것은
빙산이었다

얼음덩어리
뒤덮인
빙산이었다

내가 사랑한 것은
사막이었다

바람도
불꽃이 되는
사막이었다

내가 기다린 것은
빙산과 사막 속에서
아름답게 피어난
춘매(春梅) 꽃이었다

I. 들어가는 글

당신은 왜 그렇게 사십니까? 느닷없는 질문에 잠시의 망설임. 답을 하기 전에 '어떻게 답해야 할까?', '내가 지금 어떻게 살고 있지?' 라는 질문을 재빠르게 던진다.

"글쎄요. 답이 될 수 있을지는 모르겠지만 이렇게 사는 것이 옳다고 믿기 때문입니다. 그리고 무엇보다도 이렇게 살아야 저 자신이 행복할 수 있으니까 지금까지 이렇게 살아왔습니다."

굉장히 철학적인 질문에 그저 현실적으로 평범하게 답한 것 같아 마음이 썩 개운치는 않았다. 얼마 전 지역에서 활동하시는 종교계 큰 스승과의 만남에서 나누었던 대화의 한 장면이다. 자리에 함께한 분들의 얼굴을 돌아가며 살피니 오호라 그들 모두 평탄하지는 않은 삶을 살아왔고, 지금도 그런 삶을 살아가고 있는 사람들이다. '그래서 이런 질문을 던지셨구나!' 싶었다. 종교, 정치, 농업·노동계와 언론, 교육, 문화예술계의 현장에서 다들 나름의 뜻과 정의로움을 위해 살아가고 있는 사람들이다. 나도 그렇다.

아리스토텔레스(Aristoteles)는 "행복한 생활은 덕에 의한 경우가 많다. 덕을 실천하는 사람, 덕을 생활 속에 베푸는 사람 그런 사람에게 행복이 따른다. 행복하고 싶거든 덕에 의한 생활을 하라." 고 말한 바 있다.

자서전은 어떤 사람이 과거에 경험한 일을 자신의 이름으로 저술한 책을 말한다. 자신에 대해 솔직하게 고백하듯 써 내려간 책이므로 나로서는 책의 무게와 책임감이 여느 책들과는 전혀 다르다. 자신의 전 인생이 발가벗겨진 채로 세상에 나가기 때문이다. 지나온 인생에 대해 이런 식으로 말할 용기를 가졌다면, 남은 인생에 대해서도 더는 두려울 것이 없을 것이다.

자서전을 통해 이미 맛본 절망과 실패를 숨김없이 털어놓았으니, 남은 인생을 살아갈 자신감도 넘치지 않겠는가? 그렇다. 자서전은 단순한 과거 이야기가 아니다. 감상적 추억담도 아니다. 잃어버린 나의 정체성을 찾아 나에게 되돌려주는 작업이다. 자서전은 나를 성공으로, 번영으로, 기쁨으로 이끌어주는 아주 실제적인 자기계발서다. 자서전은 내 삶의 소중한 장치, 곧 내 인생에 긍정의 에너지를 공급할 내 인생의 강력한 발동기가 될 것이다.3) 편하게 술 한잔하자고 만난 자리에서 심오한 삶의 철학을 마주하고 나니 순간순간 나약해지려고 했던 모습이 떠올라 부끄럽기도 했지만 지난 70년의 인생을 다시금 하나하나 챙겨서 돌아볼 수 있는 계기가 되었다. 만남을 마치고 집으로 돌아오는 길에 수없이 되뇌었다. '옳게 살려고 애쓰는 것은 중요한 일이다. 그러나 그릇되게 살지 않으려고 애쓰는 것 또한 같은 값으로 소중하다.' 라는 것을.4)

이 졸고(拙稿)『나의 삶은 행복했는가』는 자기 자신을 위하고, 자기 존재를 확인하기 위함이다. 다음으로는 가족, 후손을 위해 진정 자신이 어떠한 인물인지를 알리기 위한 것이다.

3) 조상윤 외. 나는 꽃, 글래스하퍼 크리에이티브, 2016: 3.
4) 임영택. 당신은 왜 그렇게 사십니까?, 충북일보, 2024. 3. 5.

II. 나

나는 강원도 강릉시 홍제동 외갓집에서 태어났다. 어린 시절 소작하시는 할아버지, 외할머니, 이모, 외삼춘, 어머니와 함께 소박하면서도 파란만장하게 살아왔다. 국민학교, 중·고등학교, 대학까지 경제적 어려움에 마음고생을 많이 했다. 하지만 성년이 되어 보니 인생이라는 삶에서 용기와 인내에 많은 도움이 되어줬다. 사춘기에 들어가며 경험했던 일들이 미래의 희망과 삶의 목표를 설정하는 데 많은 도움이 됐다. 착하게, 지혜롭고 건강하게 열심히 사는 것에 의미를.

1951년 겨울, 김씨 집안 외아들로 태어났다. 마당에 진달래가 피어 있는 집에서 살았다. 과일나무들도 여럿 있었다. 대문을 나가면 논둑길이었고 작은 도랑이 흐르고 있었다. 얼굴 한 번 본적은 없지만 아버지 김복동은 군인이었는데, 유복한 가정에서 교육을 잘 받으신 분 같다.

외할아버지는 외할머니와 엄마가 용강동에 돈 벌러 나가시면 밥도 챙겨주고 무척이나 자상하셨다.

마을에서 8km정도 떨어진 명주국민학교를 3학년까지 다녔다. 4학년부터는 학군 조정으로 4km정도 거리인 강릉국민학교를 전학하여 도보로 통학하였다. 중학교 입학 무렵, 엄마와 함께 처음으로 홍제동 '발락고개'라는 동네로 집을 장만해서 이사를 왔다.

용강동에 위치한 강릉고등학교에 들어가 고등학교 시절을 보냈다. 고등학교 시절은 나의 인생에서 어려움이 많아 목표 설정에서 상당한 전환점이 되었다.

고등학교를 졸업하고 우여곡절 끝에 춘천에 위치한 강원대학교 체육교육과에 다녔다. 군생활을 마치고, 강원도 최북단에 위치한 고성중·고등학교에 초임교사로 발령을 받았다. 부인과는 1년간 연애를 한 후 결혼을 했다. 1978년 8월 15일 약혼식을 하고, 1979년 1월 3일 결혼식을 한 후 서울로 올라가 제주도행 비행기를 타기 위해 김포공항으로 출발했다.

신혼생활은 학교 부근 고성군 간성읍 신안리에 2칸짜리 방을 얻어 그곳에서 3년을 살다가 강릉중학교로 발령을 받았다.

결혼을 해 1남 1녀를 두었으며, 교감, 교장으로 승진하여 나름대로 최선을 다했으며, 2013년 2월 정들었던 교육공무원에게 퇴직하였다. 공로를 인정받아 대통령상을 비롯하여 한국교원단체연합회장상 그리고 국민훈장 무궁화장이 수여(授與)되었다.

1. 유년⁵⁾ 시절

내가 살던 곳은 북바위 고개를 넘으면 이상한 바위가 있어 '개좆바위' 라고 한다. 그 우추리(위촌리)에는 높고 낮은 산들이 병풍처럼 마을을 둘러싸고 맑은 시냇물이 아름다운 화음을 이루며 흐르는 곳이다.

봄이 오면 울긋불긋 꽃방처럼 소담스럽게 고운 진달래가 피었다. 길옆에 코스모스 꽃이 만발하였다. 저녁 노을이 붉게 물들었다. 하늘엔 고추잠자리가 무리를 지어 날아다녔다. 알룩달룩 코스모스 꽃과 연주황빛 고추잠자리가 어우러진 붉은 노을빛 하는 발길을 멈추고 물끄러미 바라보곤 했다.

내가 살던 시골 산엔 칡덩쿨이 많았다. 그 시절 간식으로 먹을거라고는 산에서 나오는 칡뿌리뿐이었다. 개울에 나가면 미꾸라지, 용곡지 등 잡어들을 잡아 매운탕 거리로 활용했다. 그리고 계절에 따라 메뚜기를 잡거나 산나물을 채취해 반찬거리로 이용했다.

---

5) 유년기(幼年期)는 어린이의 성장과 발달의 한 단계로, 유치원과 초등학교 저학년에 해당하는 시기이다.

가을에는 마당에 여러 가지 씨앗을 볼 수 있었다. 옥수수는 알맹이를 하나하나 따서 햇볕에 말렸다. 그 씨앗을 다음 해에 뿌릴 거라고 어른들은 말씀하셨다.

내가 어릴 때 집에서 많이 하던 말이 무엇이었을까. 엄마들은 '해동아, 밥 먹어라.' 이고 아이들은 '해동아. 노~ 올자' 였을 것이다. 그 시절 우리들은 참 많이도 놀았다. 놀기 좋아하는 아이들은 등교 전 아침 댓바람부터 골목에 모여서 놀았다. 수업 시간이 끝나면 학교 운동장에서는 물론이고, 학교 갔다 집에 오면 가방을 휙 던져놓고, 골목 어귀나 공터에서 해가 지도록 놀았다. 그러다가 엄마가 '해동아, 밥 먹어라' 라는 소리가 들리면 부랴부랴 집으로 뛰어갔다.

내가 살면서 좋은 점도 많았다. 별다른 장난감 없어도 혼자 마당이나 골목을 걸어다니며 놀다보니 상상력이 풍부한 사람으로 성장할 수 있었다. 맨발로 집밖으로 걸어 다녀도, 공부를 안 하고 책을 읽지 않아도 혼내는 사람이 없다보니 오히려 자유로운 성향으로 자랄 수 있었던 것 같다. 어차피 못 사줄 걸 알기 때문에 옆집 친구가 가진 자전거를 봐도 샘이 나지 않았고, 이웃집 친구가 소꿉놀이 세트를 가지고 있어도 부럽지 않았다. 남에게 나를 비교하는 일을 일찍 멈출 수 있었다.[6] 언어, 의복, 행동, 장난감 따위의 편견도 생기지 않았다. 오히려 다행이라고 생각된다. 이런 독립적인 성격은 이미 그날 결정된 걸지도 모른다. 아버지 없이 자라면서, 웃으면서 엄마를 기다리던 강보(襁褓) 속의 아이의 모습에서 호래자식[7]

---

6) 김산만. 서른살, 섣부른 자서전, 서울: 부크크, 2022: 12.

(호로자식).8)이라는 말을 들으면서.

외할머니와 어머니는 없어서는 안 될 존재였다. 어린 시절 나를 키우셨다. 외할머니와 어머니가 뜨개질을 하시는 동안 내가 가끔 실타래를 쥐고 있었던 것을 기억한다. 하지만 식사할 때면 방 안이 아니라 늘 부엌에서 서성거리며 드시곤 했다. 지금도 그 생각을 하면 마음이 아프다. 남존여비(男尊女卑)─남수여종(男帥女從), 여필종부(女必從夫), 삼종지도(三從之道)─그 시절 그게 법도(法度)라나.

외할아버지는 소 다루는 법, 쟁기 사용법을 가르쳐 주셨고, 조석으로 소여물을 쑤기 때문에 나의 방 군불 걱정은 없었고…

유년 시절의 한문 학습은 그의 정신 속에 유교적 세계관과 윤리 의식을 심어 주어 자본주의적 근대에 대한 거부감과 정신적 귀족주의를 낳았고 근대적인 온갖 속물성으로부터 그를 지켜 주었다고 할 수 있다.

---

7) 막되게 자라 교양이나 버릇이 없는 사람을 얕잡아 이르는 말.
8) 호로(胡虜)는 오랑캐 혹은 오랑캐의 포로라는 뜻이다. 중국에 청나라를 세운 여진족이 조선에 침입해 병자호란을 일으켰다. 이때 조선은 청나라에 공녀를 바쳤는데, 이들이 돌아오자 사람들은 환향녀(還鄕女)라고 불렀다. 이 환향녀들 중에서 아이를 낳은 사람들이 있었는데, 이렇게 태어난 사람들을 '호로새끼', '호로자식'이라고 불렀다 한다. 또한 이 무렵 청나라에 아첨하여 벼슬을 얻은 사람들을 낮추어 '호로새끼' 혹은 '호로자식'이라 했다고도 한다. 전쟁 포로들이 겪은 고통을 나누기는커녕 오히려 그들을 학대한 것이다.

가. 어머니

어머니는 항상 일찍 일어나셨고 아무리 늦어도 자정 전에는 잠자리에 드셨다. 아침에는 빠르게 식사를 하시고 용강동 시장으로 향했다. 어머니는 작은 기술을 몇 가지 가르쳐 주셨다. 못을 박는 법이라든가, 연필을 깎는 방법 등을 말이다.

그런데 다른 기억도 있다. 온몸이 뜨겁고 펄펄 끓는 열로 인해 잠을 잘 수 없었던 밤, 어머니는 나를 안고 집안을 서성이셨다. 어머니가 좋아하는 노래를 부르시면서, 고요한 한밤에 나를 내려다보며 노래를 불러 주시던 어머니의 목소리를 지금까지도 기억한다.

어머니는 가위를 사용해 내 손과 발의 손발톱을 어떻게 다듬는지 가르쳐 주셨다. 그리고 호미와 고무래 사용법, 손을 베이지 않고 낫을 다루는 법도 가르쳐 주셨다.

내 어린 시절엔 모든 가게가 적었다. 고만고만한 가게에 고만고만한 물건들을 갖다 놓고 팔았다. 반원형 창문을 내놓고 물건과 돈을 주고받는 곳이 있었다. 과자, 담배나 껌 같은 걸 파는 곳이었다. 마치 쥐구멍처럼 생긴 작은 구멍으로 돈과 물건이 오갔다. 아예 난전에 좌판을 깔고 장사하는 난점, 노점 사람도 있었다. 그런 가게에 이름 붙인 것이 구멍가게가 아닌가 한다. 구멍만 뚫어 놓고 물건을 차는 가게 구멍만큼이나 규모가 작은 가게.

구멍가게에 들어가 보자. 가장 먼저 눈깔사탕 상자가 눈에 들어온다. 그 옆을 보자. 좋아하는 고자들이 늘어서 있다. 밖을 둘러볼까. 여름인가 보다. 문 앞에 둥근 아이스크림 통이 보인다.

겨울 가게 안에는 난로가 놓여 있다. 연탄난로인데 그 위에는 노란 양은 주전자가 올려 있다. 그 안에는 늘 보리차가 끓고 있었다. 당시엔 엽차라고 했다. 지나가는 어른들은 그 보리차를 공짜로 마시고 갔다.

어릴 적 동네 골목마다 달고나 자판이 있었다. 가격은 한 국자에 5원이었다가 나중에 10원으로 인상되었다. 돈이 없어도 구경꾼 자격으로 그 판에 낄 수 있었다. 이때 연탄 화로를 중심으로 둥그렇게 모여든 모습이 김홍도의 씨름판 그림 같았다.

달고나 제작 과정은 그 자체가 하나의 공연이었다. 주문이 들어오면 물속에 담가놓았던 찌그러진 양은 국자를 꺼낸다. 먼저 연탄불에 국자를 올려놓고는 누런 설탕 한 수저를 넣는다. 실탕이 녹고, 끓어, 졸아들며 국자 가장자리에 있던 설탕이 가운데로 미끄러져 들어간다. 이때 젓가락을 휘저어주면 설탕이 짙은 갈색으로 변한다. 설탕이 까매지기 직전. 이때가 이 판의 백미다.

소다가 설탕에 무슨 짓을 한 건지 모르겠다. 갈색이 순식간에 뽀얀 색으로 변하면서 거품처럼 부풀어 오른다. 이때야말로 노련한 손놀림이 필요하다. 국자에서 설탕이 흘러넘치지 않게 철판에 뿌려 펼치기 기술을 시전(示展)한다. 타이밍(timing)이 조금만 빨라도 안 되고, 조금만 늦어도 설탕이 국자 밖으로 흘러넘쳐 국자 안에는 거의 남지 않는다.

모양과 색깔이 완전히 변한 설탕물, 그 위에 둥그런 쇠 누름 판을 누른다. 동그라미 모양의 달고나가 아직은 말랑말랑하다. 그 위에 재빨리 각종 모양의 쇠틀을 찍는데, 그 부분이 반쯤 잘리면서 떼어내기 좋은 상태로 변한다. 곧이어 달고나 전체를 철판에서 조심스레 떼어낸다. 납작한 원형 그대로 잡고, 열기를 식혀서 달고나 주인에게 준다. 이때 달고나 주인이 모양 그대로 따오면 달고나 하나를 더 얻을 수 있다. 달고나 좌판을 설치한 주인장은 손님을 유인하기 위해 욕심을 내지 않았다. 돈이 없어 온종일 구경만 하는 아이들을 무어라 하지 않았다. 게다가 이 손님들이 일찌감치 맨 앞줄에 쭈그리고 앉았다. 하지만 뭐니 뭐니 해도 이 판에선 10원짜리를 가져야 VIP 취급을 받았다. 아무리 특별석에 있던 아이라도 동전을 가진 고객이 등장하면 슬쩍 어깨를 비틀어 비켜 주었다.[9]

엿장수 아저씨의 정겨운 가윗소리가 아직도 생생하다. 가장 두드러진 특징은 들고 다니며 쩔꺽쩔꺽 소리를 내는 큼직한 가위이다. 이 가위는 엿을 떼어내는 일뿐만 아니라 사람을 불러 모으는 데에도 큰 구실을 하였다. 또, 능숙한 엿장수는 가위다리를 서로 맞부

---

9) 허윤숙. 달고나와 이발소 그림, 경기: 시간여행, 2022: 126-129.

딪쳐 내는 소리에 자기 흥을 담아 구성지게 노래도 불렀다.

그 시절 놀이가 다양했다. 고무줄놀이, 좇박기 놀이, 딱지치기, 말타기 놀이, 공기놀이, 다방구, 숨바꼭질, 땅따먹기, 구슬치기, 무궁화 꽃이 피었습니다. 찐뽕, 자치기, 제기차기, 쌈치기, 닭싸움 등이었다. 특히 명절날에는 윷놀이, 그네뛰기, 널뛰기, 연날리기, 망우리 돌이기 등이 성행하였다.

여름철에서 얕은 개울에서 개헤엄으로 놀았으며, 겨울에는 앉은 뱅이 앉은뱅이 스케이트 타기(썰매타기), 눈이 오면 나무로 만든 스키를 이용해 얕은 밭의 경사에서 스키선수 흉내를 내기도 했다.

시골 초등학생의 겨울 - 앉은뱅이 스케이트 만들어 타기

시골의 초등학생들의 장난감은 거의가 손으로 직접 만든 것들입니다. 돈이 귀하기에 장난감을 돈을 주고 산다는 생각은 아예 하지를 않았습니다. 장난감을 만드는 방법은 학년이 높은 형들로부터 자연스럽게 배우고 익혀서 만들어 놓고 또 아래 학년 동생들에게 전수시켜 주었습니다.

겨울철에 제일 인기가 있는 장남감은 앉은뱅이 스케이트이었습니다. 산에 가서 적당한 굵기의 소나무를 좀 길게 두 개를 베어 와서 벽이나 나무 기둥과 배 사이에 끼우고 잘 드는 낫으로 우선 한쪽 부분을 전체 굵기의 1/4가량 두께를 대패질을 하듯 평평하게 다듬습니다. 그 다음은 한쪽 끝을 20° 정도로 경사지게 깎아 낸후 적당한 길이로 뒤부분을 잘라냅니다. 이런 방법으로 통나무 두 개를 다듬어 굵은 철사를 구부려 앞부분 중앙에 밖아 넣고 뒤부분까지 힘을 한껏 주어 당긴 다음 수직으로 굽혀 2~3개의 못으로 다듬은 통나무 뒷부분에 고정시켜 발통(사투리)을 완성합니다. 그 다음에는 나무 판자를 철사를 고정한 발통 위에 얹고 못질을 한 후 판자 가로 길이를 적당하게 톱으로 베어 내면 훌륭한 앉은뱅이 스케이트가 됩니다.

녹이 슬은 철사는 얼음 위에서 잘 미끌어 지지 않기 때문에 스케이트를 들고 제방에 가서 마른 풀에 한참 문질으면 철사의 녹이 벗겨져서 반듭반들하게 빛이 나며 얼음에 잘 미끌어집니다. 다음으로는 못머리를 망치로 때려 납작하게 만들고 그것을 작은 굵기의 소나무를 자신의 팔 길에 맞추어 잘라서 납작하게 만든 못 머리 부분이 바깥으로 오도록 박아서 스케이트 송곳을 만듭니다. 송곳 윗부분은 역시 송곳 나무 굵기의 작은 나무를 손아귀에 맞게 잘라서 수평으로 못질을 해주면 좋은 스케이트 송곳이 만들어집니다. 이것들을 들고 마을 개천에 가서 동무를 끼리 줄을 지어서 앉은뱅이 스케이트를 타고 놀면 시간 가는줄을 모릅니다.

목욕을 자주 못하고 손에 로션 같은 것을 바르거나 장갑을 사서 낄 호사는 꿈도 꾸지 못하기에 손은 피가 흐르도록 항상 터있었지만 아랑곳하지 않고 하루종일 스케이트를 타며 놀았습니다. 낮이 되어 얼음이 약간 녹으면 얼음 위에 물기도 좀 있고 얼음 전체가 물 위에 뜨게 되는데 빠른 속도로 이 위를 지나가면 얼음장 전체가 아래위로 굴곡지게 움직이기 때문에 약간의 무중력을 느끼게 되어 재미가 정말 좋습니다.

그러나 빠르게 지나가지 못하면 얼름에 스케이트가 걸리고 몸이 앞으로 엎어져 물에 빠지게 되어 옷 모두가 물에 젖어 큰 애를 먹습니다. 그러나, 나뭇가지를 주워다가 불을 지피고 양말과 옷을 말려서 입고 다시 스케이트를 타곤했습니다.[10]

10) 구름의 노래. 추억 - 시골 초등학생의 겨울(08) - 앉은뱅이 스케이트 만들어 타기, 2018. 2. 5.

옛날놀이는 뇌의 발달을 촉진한다. 창조력을 키운다. 집중력을 키운다. 몸을 단련한다. 커뮤니케이션 능력을 키운다. 전통적인 놀이를 접할 기회가 된다 등의 특징이 있다.

장난감 등을 쉽게 살 수 없었던 시대에 놀기 위해 몸 주변의 물건이나 자연환경 조차도 장난감으로 활용해 놀 수밖에 없었던 시절의 옛 놀이는 시대에 맞지 않을 수 있으나 그 놀이 종류와 원리 등은 지역을 특색화 하고, 콘텐츠 자원으로 다양하게 활용할 수 있는 자원 효과가 있다. 관련 기관에서는 많이 늦은 감은 있으나 이제라도 사라지고 있는 농촌 놀이를 찾고, 정리하여 활용하고 후손에게 넘길 수 있도록 노력하길 바란다.

국민학교에 입학한 1학년 학생들이 학교에 들어와서 맨 처음 듣는 말이 무엇일까 '앞으로 나란히' 다. 국민학교 실외 조회시간, 아무리 '앞으로 나란히' 를 해도 삐뚤거리는 줄서기 반복 연습은 참을만 했다. 하지만 혹독한 추위는 참을 수가 없었다.

제일 참을 수 없는 건 발가락이었다. 교장 선생님의 훈화는 왜 그렇게 길던지.

콧물은 아이들의 상징이었다. '콧불 배기', '코찔찔이'가 어린 아이들의 별칭이었을 정도다. 아이들이 콧물을 자주 흘리니, 교실 여기저기서 훌쩍거리는 소리가 들렸다. 어린 손으로는 야무지게 코를 풀 수가 없었다. 응급조치로 콧물이 왔던 곳으로 꿀꺽 들이마시는 수밖에 없었다.

오른쪽 소매로 쓱 훔치는 방법도 있었다. 개구쟁이들이 주로 그랬는데, 손수건 살 돈이 없는 집 아이들도 마찬가지였다. 오른쪽 옷소매를 잡아당긴 후 콧물을 쓱쓱 문지르고 다녔다.

운동화 속 발가락을 꼼지락거려 본다. 덜 시린 것 같다. 손도 조물조물해 본다. 그래도 시린다. 이미 볼은 터서 거칠고 빨갛게 변했다. 코를 계속 훌쩍거린다. 이때 콧물이 삐죽 모습을 들어낸다. 콧물이란 녀석들은 일관성이 있다. 일단 내려간 이상 다시 오를줄을 모른다. 어린 마음에도 민망하다. 이내 힘껏 들이마셔 보지만 역부족이다. 왼쪽 가슴팍을 흘깃 본다. 하얀 가제 손수건이 접혀 옷핀에 붙잡혀 있다. 이제야 손수건의 용도가 생기는 순간이다. 손

수건을 끌어다가 코를 힘껏 푼다. 거칠게 날뛰던 콧물 녀석들이 이
내 잠잠해진다. 몸짓이 설익은 아이는 속으로 말한다. '이런 게 겨
우 학교라니.'

　진짜 문제는 매해 똑같이 이루어지는 학교 수업이 너무 뻔했던
것. 그 당시만 해도 동요 레퍼토리(repertory)가 턱없이 적었다. '둥
근 해가 떴습니다.'는 그다음 해에도 줄기차게 운동장에 울려 퍼
졌다. 당시만 해도 동요 작곡가가 별로 없었나 보다.[11]

학교에 간이 급식 장소가 생겨서 옥수수빵을 쪘다. 점심 때 당번이 그 걸 받아와
서 아이들에게 나눠주었다.

나. 내가 살던 고향

　내가 어렸을 적 대부분은 단독(單獨)가정집 주택이었다. 우리 집
에 있던 마당과 장독대, 파란 철재 대문이 떠오른다. 우리 집은 등
나무가 마당 전체를 덮고 있었는데, 내가 태어나기 전부터 구부정
한 채로 그 자리에 있었다.

---

11) 허윤숙. 달고나와 이발소 그림, 경기: 시간여행, 2022: 15-49.

등나무 옆에는 사각 지붕틀이 있어서 등나무 이파리가 계속 이어져 있었다. 그 잎은 마당 전체에 시원한 그늘을 만들어 주었다. 마당 전면에는 작은 화단이 있었고, 그 화단에는 올망졸망 꽃들이 자라고 있었다. 대부분 이름 모를 빨간 꽃, 노오난 이쁜꽃이었는데 간혹 이름이 있는 것도 보였다. 요즘은 보기 힘든 나팔꽃, 맨드라미, 분꽃, 해바라기 등이다. 해바라기를 제외하곤 이 꽃들은 대부분 높이가 낮았다. 어린아이가 쪼그리고 앉아서 속삭이기 딱 좋은 높이였다. 그 꽃들은 아침저녁으로 모습이 달랐다.

나팔꽃이 제일 신기했다. 해가 뜨면 피었다가 해가 지는 저녁에는 꽃잎을 닫고 고갤 숙이는 게 아닌가. 나는 꽃잎이 닫히는 점을 알고 싶었다. 그래서 잠복근무를 마다하지 않았으나 번번이 실패했다. 이 꽃들은 어린애 모르게 일을 해치우는 듯했다.

해바라기에서는 씨앗을 얻었다. 꽃송이는 몇 개 안 되었지만, 크고 두꺼운 얼굴을 가진 해바라기에선 많은 씨앗이 나왔다. 그 씨앗을 햇볕에 말려 간식처럼 먹었다. 해바라기는 마지막까지 해를 보다가는 셈이었다.

나는 해바라기가 해를 향해 자라는 모습이 참 신기했다. 하루는 한 해바라기를 골라 얼굴 방향을 담벼락 어두운 쪽으로 돌려보았다. 그런데 며칠 지나지 않아 다시금 해를 향해 고갤 내미는 게 아닌가. 고집이 무척 세 보였다.

이 꽃들은 향기가 없었나 보다. 추억을 떠올리면 냄새가 떠오르고 하는데, 그 꽃들에선 아무런 냄새가 떠오르지 않는다. 지금 생각해보면 색깔이 화려하거나 생김이 곱지 않았다. 맨드라미는 꽃이

라고 하기엔 많이 부족해 보였다. 가을이면 길가에 한 줄로 피어나
던 코스모스도 향기가 기억나지 않는다.

우리 집 마당에 있는 맨드라미나 나팔꽃은 씨앗을 받아놓지 않
았다. 물을 준 적도 없다. 땅에 거름을 준 적도, 벌레를 잡아준 적
도 없다. 햇빛양을 조절하면서 막을 씌운다든지 일부러 밝게 해 준
적도 없다.

그런데도 알아서 매년 꽃을 피웠다. 꽃을 피우고 무럭무럭 자라
고, 또다시 시들었다. 그 꽃들이 요즘 눈에 띄질 않는다. 분꽃이나
맨드라미꽃을 아는 아이들도 없다. 향기가 없어서일까. 그 꽃 주변
엔 벌이 오지 않았었다. 아무리 척박한 땅이라도 꿋꿋이 땅을 뚫고
나오는 그 생명력, 그 수수한 외모와 소박한 향으로 매일 꽃잎을
열고 닫았다.[12]

다. 그 시절

1980년대 초까지 우량아 선발대회라는 것이 있었다. 영양상태가
좋고 건강한 어린이들(만 2세 미만 어린이들)을 선발하였는데, 우량

---

12) 허윤숙. 달고나와 이발소 그림, 경기: 시간여행, 2022: 100-103.

아로 선발된 아기는 매스컴에 보도되고 표창과 상금을 수상했다.

일제강점기인 1920년대에 우량아 선발이 시작되었다고 한다. 한국 전쟁기인 1952년에도 실시되었다고 하는데, 1950년대~1960년대를 거쳐 1983년까지 실시되었다고 한다.

생후 1년 남짓 될 만한 아이들을 대상으로 발육상태와 건강미 같을 것을 평가했다. 몸무게를 재고 물건 잡기와 뒤집기 등 몇 가지 동작을 검사하는 그 이벤트에서 토실토실한 아기들이 엄마 품에 안겨 심사받는 모습이 텔레비전에 중계되기도 하였다.

당시 많은 엄마들에게 통통한 아이의 모습은 선망의 대상이었다. 아직 보릿고개를 넘어야 했고 그래서 아이든 어른이든 살이 찐 체구가 곧 부유함의 상징이었던 시절이었다.[13]

우량아 선발대회를 후원한 것은 분유회사였다. 1971년도에는 문화방송이 주관하고 남양유업이 후원하는 제1회 전국우량아 선발대회가 시작되었고, 1983년까지 시행되었다. 지자체와 언론사 의학분야 학회도 행사 주관에 동참하기도 하였다. 분유회사가 후원한 목적은 분명하다.

우유를 먹여서 건강한 아기를 키우라는 메시지를 보내는 것이었다. 잘못 오도된 대중은 우유가 모유보다 영양적으로 우수하고 아기에게 우유를 먹이는 것이 보다 문화적이고 세련되었다는 잘못된 인식을 갖게 했다. 이런 비판적 인식이 우량아 선발대회를 역사 속으로 사라지게 한 원인이 되었다. 우량아 선발대회, 그저 추억 거리로만 삼기엔 복잡하고 미묘한 역사적 함의가 있는 과거이다.[14]

---

13) 김찬호. 생애의 발견. 서울: 인물과사상사. 2010: 17-18.

1957년 우량아 선발대회(우량아 선발대회 홍보물)

어린 시절 나는 거지[15]나 넝마주의(헌 옷이나 헌 종이, 폐품 등을 주워 모으는 일이나 그런 일을 하는 직업인)[16]가 직업인 줄 알았다. 그당시 그들은 아주 당당했다. 성실하게 근속하며 기부를 유도했다.

예전엔 한낮에 대문을 걸어 잠그지 않는 집이 많았다. 사립문이거나 아예 대문이 없는 집이 대부분이었다. 그 문을 자연스럽게 어깨를 밀고 들어오는 사람이 있었다. 거지들이었다. 심지어 한 번왔던 그들이 여러 번 온 적도 있다. 대부분 나이가 젊었고 사지도멀쩡했다.

그들이 올 때마다 밥만 줄까 아니면 반찬도 줄까 하고 고민을했다. 대부분 밥만 주었지만 어린 마음에도 먹기가 싱거울 것 같았다. 밥만 주어도 허겁지겁 먹었다. 그들은 밥을 모아 저장도 했다. 니를 위해 용량이 큰 '영업용 식기'를 가지고 다녔다. 찌그러진양철로 만들어졌는데, 가는 철사로 된 손잡이가 달려 있었다. 그래

---

14) 송윤경. 우량아 선발 대회, 왜 했을까?, 경향신문, 2020. 3. 19.

15) 남의 집 문전을 찾아가거나 길에서 만나는 사람으로부터 금품이나 음식 등을 빌어서 얻어먹고 사는
   사람을 일컫는 말로, 비렁뱅이·걸인(乞人)·동냥치·걸뱅이 등으로도 부름.

16) 넝마주이는 양아치라고 불리기도 했으며, 일제강점기 이후 현재까지 지속되고 있다. 일제강점기에는
   서울의 경우 40~50곳에 거지들이 모여 살았으며, 동냥뿐만 아니라 넝마주이를 하기도 했다. 넝마주
   이는 사설막(대원들을 거느린 주인인 '조마리'가 관리하는 막), '자작'(개인 또는 가족단위로 만
   든 막) 방식의 조직을 갖추고 망태기와 집게를 사용하여 폐품을 수집하여 판매하였다.

서 팔뚝에 가는 선이 있는 아이들은 전생에 거지였다는 농담도 있었다.

머리에는 대부분 지저분한 한 모자를 쓰고 있었다. 여기저기 덜어진 바지를 입었는데, 누런색인지 회색인지 알 수 없는 색깔이었다. 바지는 바닥을 질질 끌만큼 길게 늘어뜨리고 있었다. 윗도리는 소매의 입구가 넓게 벌어져 있어서 손이 시리면 양손을 그 안으로 집어넣고 다녔다. 거지들은 여기저기 있었다. 기차역, 길거리, 담벼락 밑 등 곳곳에서 동냥했다. 철다리 밑이 대부분 그들의 주거 지역이었다.

거리를 지나다 그들과 마주치면 그 거지들은 내 눈을 '뚫어져라' 쳐다 보았다. 그러면 불쌍하기도 해서 엄마를 쿡쿡 찌르면 지갑에서 동전을 꺼내 거지 앞에 놓인 그릇에 땡그랑 하고 넣었다.

그땐 국민 전체가 가난하고 나라도 경제가 어려웠다. 특히 몸에 장애가 있거나 병이 든 사람, 또 남편을 갑자기 잃게 된 아기 엄마들은 생가 막막했을 것이다. 이제 우리나라는 거지가 잘 눈에 띄지 않는다. 특히 '육교 거지'는 이제 내 추억 속에서만 존재하지만 다양한 사연으로 대도시 지하철 공간에서 하루하루를 연명하는 사람들이 근자에 새로운 문화 현상으로 나타났다.

넝마주의는 낡고 해져서 입지 못하게 된 옷이나 천조각, 헌 종이, 빈병 등 돈이 될 만한 것을 주워 모으는 사람 즉, 재활용이 가능한 헌 옷이나 헌 종이, 박스, 폐품 등을 주워 모으다가 고물상에 파는 사람이다. 길거리에서 폐지가 가득 쌓인 큰 나무 수레를 끌고 가는 것을 볼 수 있다.

어릴 적 넝마주이는 늘 마주하는 이웃이었다. 실제로는 더없이 고달픈 삶이었겠지만 어린 나에게 넝마주이는 제법 멋진 존재였다. 그들의 대나무 바구니는 지름이 한 발을 넘을 정도로 컸다. 그 큰 바구니를 짊어지고도 보무가 당당했던 그들은 어린 나에게 거인이었다.

그들은 솜씨도 좋았다. 옷가지든 종이든 고물이든 집게로 집어 바구니에 던져 넣었다. 한 번에 들어가지 않는 경우는 본 적이 없다. 우리는 뒤따라가며 넝마를 주워 던지는 흉내를 내었다. 그들은 주로 험상궂게 인상을 썼지만 때로는 웃어 보인 적도 있다.

넝마주이에 대한 사회적 차별과 정부의 감시와 관리는 본격적인 산업화가 이루어지던 1960년대부터 시작되었다. 당시 넝마주이는 근로재건대에 등록을 해야만 넝마주이 활동을 할 수 있었으며, 등록한 넝마주이는 지정된 복장과 명찰을 착용해야 했다. 넝마주이가 등록을 하지 않는 경우 폐품 수집을 할 수 없었으며, 법으로 처벌을 받았다. 또한 넝마주이는 주로 도시 외곽의 다리 밑에 모여 살고, 초라한 옷차림으로 주택가에서 폐품 수집을 해야 하기 때문에, 대중의 기피 대상이 되었고, 경찰에 의해 잠재적 범죄자 취급을 받았다.

  '넝마주이'라는 용어 자체는 2000년대 이후인 현재는 잘 쓰이지 않는다. 방송에서도 이 표현 대신 그냥 '폐지줍는 사람'이라는 표현을 쓰고 있다. 비하적 의미가 내포되어 있다고 여긴 듯하다.

  마당이라는 말이 사라지고 있다. 어린 시절 주로 아담한 주택에 살았다. 주택에는 마당이 딸려 있었다. 마당에는 오동나무, 앵두나무, 등나무, 몇 그루의 과일나무와 작은 화단이 있었고, 화단에는 해바라기, 나팔꽃, 맨드라미, 분꽃 등이 있었다.

  비가 내려도 괜찮았다. 그땐 마당에 나가 빗방울이 떨어지는걸 바라보았다. 빗방울은 땅에 떨어지자마자 몸을 비틀면서 공중으로 튀어 올랐다. 그 모습이 마치 살아있는 용이 몸을 비틀면서 공중으로 튀어 올랐다. 비가 내렸다 튀어 오른 곳은 보조개처럼 옴팍하게 파였다. 지붕에서는 빗소리가 났다.

  비가 내리면 특유의 냄새가 났다. 비가 처음 내린 직후 땅에서 나는 냄새다. 나는 그 냄새를 좋아해서 빗소리가 들리기 시작하면 부리나케 마당으로 뛰쳐나가 냄새를 맡곤 했다.

  마당에서 마루와 연결된 평상에 앉아 있기도 했다. 평상에서 맞이하는 봄비는 시원하면서도 온기를 지니고 있었다. 비가 오면 매번 지렁이가 찾아왔다. 나는 지렁이가 기어 나오면서 꿈틀거리는 모습이 재미있어서 따라가곤 했다. 또 손가락으로 지렁이가 갈 수 있도록 미리 고랑을 파주기도 했다.

마당이 여름엔 고마운 곳으로 변신했다. 바깥은 펄펄 끓는 용광로일 때 등나무 밑은 그늘로 인해 시원했다. 땡볕에서 놀다가 지친 아이들은 마당 그늘에서 놀았다. 놀다가 더우면 펌프 물로 등목을 했다.

겨울이 오면 마당에 눈이 쌓인다. 소복이 쌓인 눈 위를 걸으면 발자국이 찍히고 하양 백설기 같은 느낌에 감탄하곤 했다. 쌓은 눈 위를 뽀드득 소리가 났다. 그 소리를 듣는답시고 마당에 나가 두 발로 세게 밟았다. 눈사람을 만들 때 화단에 있는 눈을 활용했다. 화단에 쌓인 눈을 뭉치면 눈사람이 깨끗했었다.[17] 눈이 오면 늘 강아지가 이리 뛰고 저리 뛰고 법석을 떨었다.

고드름은 흘러내리던 물이 땅에 떨어지지 않고 길게 얼어붙어 매달린 얼음이다.

어릴 적에는 처마에 달린 고드름을 우둑우둑 썹어 먹곤 했다. 아이들은 무슨 군것질이나 된다고 엿가락만 한 고드름을 와삭와삭하며 맛있게 먹곤 했다.

---

17) 허윤숙. 달고나와 이발소 그림, 경기: 시간여행, 2022: 76-80.

아, 참 그리고 '스피커' 이야길 해야겠다. 어린 시절의 나를 난생처음 상상력의 길로 인도한 그 감미롭던 목소리의 향연을······.

텔레비전은커녕 라디오도 흔치 않던 때 시골 집집마다 대청 기둥이나 시렁에 됫박만 한 유선 스피커가 달리기 시작한 게 그 시절이었나 보다. 온종일 나오는 것도 아니어서 해가 설핏 넘어가는 저녁 무렵이 되면 깨금발을 딛고 단 하나 달려 있는 스위치를 딸깍 오른쪽으로 돌린다. "찌지직" 하는 낯선 전자음이 잠깐 들리고 나서 방송이 흘러나왔다.

경쾌한 시그널 음악이 차츰 잦아들면 "어린이 시간"이라고 다소 과장되게 말하는 여자 아나운서의 목소리가 흘러나온다. 정말이지 천상의 소리가 따로 없었다. 적어도 내가 태어나 그렇게 예쁜 목소리로 말하는 표준어를 들어본 것은 그때가 단연 처음이었다.

"전국에 계신 어린이 여러분, 안녕하세요? 여러분이 기다리는 어린이 시간입니다. 어쩌구 저쩌구······."

옆에서 쓰다듬듯 친절하고 감미롭게 귀에 착착 감겨 오는 그 목소리에 나는 그만 자지러질 지경이 되어 오줌이 마려웠다. 이어지는 어린이 연속극. 동화책 한 권 구경한 적이 없던 나는 그 낭독 연속극에 충격을 받았다. 어깨너머로 듣던 할매들 이야기와는 전혀 다른 세계가 거기에 있었다. 그 어린 시절 한때 내 마음에 뭉게뭉게 스며들던 '이야기'의 추억은 여전히 새롭고, 아릿하고, 유효하다. 나는 스피커에, 걸리버에, 그리고 이름 모르는 성우들에게 크게 빚진 셈이다.[18]

---

18) 이상경. 갈팡질팡하더라도 갈 만큼은 간다. 서울: 양철북, 2011: 43-44.

라. 어릴 적 운동회를 그려본다.

　어릴 적 운동회에서 경험한 달리기를 그려본다. 만국기가 펄럭이는 하늘 아래에서 출발 신호를 기다리고 있다. 심장이 쿵쾅거리고 눈빛은 열정으로 불타오른다. 총소리가 울려 퍼지고 운동장 둘레에 좌석한 가족과 친구들은 환호의 함성을 내지른다. 이에 부응이라도 하듯 힘차게 발을 박차며 전력의 힘을 쏟아낸다. 결승선을 통과하고 선생님께선 손등에 등위가 찍힌 도장을 힘껏 찍어주신다. 손등에 찍혀 있는 그 등위를 힘 있게 바라보며 거친 숨을 토해낸다. 그날의 경기 결과는 마음 깊이 새겨진 아름다운 추억으로 기억되고 있다.

　하나의 문화를 역사로 기술함에 있어서 종류를 불문하고 의미 없는 것은 없을 것이다. 허나 그 안에는 보다 중요하다, 덜 중요하다 등의 가치가 부여된다. 운동회라는 스포츠 문화에서 경기의 결과는 개인 메달의 컬러를 결정짓고 팀의 순위를 판가름 내는 결과물이다. 경기를 준비하고 수행하는 행위가 과정이라면 성적을 일으키고 받아들이는 과정은 결과이다. 흔히들 이 결과를 그 행사의 주요한 역사적 기록으로 남게 된다.

　구한말에 펼쳐진 운동회는 총406회였다. 이 가운데 학교를 주최로 하는 학교운동회는 202회로 전체의 49.8%를 차지하고 있었다. 이처럼 학교는 당시 운동회의 중심축으로 자리매김하고 있었다. 이러한 문화는 오늘날에도 여전히 계속되고 있다. 한편 구한말에 펼쳐진 운동회 가운데 사회를 주최로 하는 사회운동회는 총 72회로 전체의 17.7%를 차지하고 있었다. 이러한 수치는 당시에 열린 운동회 가운데 5회 중 1회 정도는 사회를 중심으로 전개되었음을 말한다. 이 시기에 전개된 운동회 가운데 연합을 주최로 하는 연합운동회는 총113회로 전체의 27.8를 차지하고 있었다. 우리의 운동회가 태동된 1895년부터 1906년 이전까지 연합운동회는 단 6건에 불과하였다. 그러던 것이 1906년 이후 일제 강제병합이 이뤄진 1910년까지 107회가 열렸다. 이와 같은 현상은 1907년에 있었던 정미7조약의 체결로 일제의 내정 간섭이 더욱 심해지면서 비롯되었다. 또한 대한제국 정부의 모든 부서에 일본인 차관을 임명하면서 일제에 대한 우리 국민들의 반감은 급격하게 상승되었다. 이에 반일 감정을 공동적으로 표출할 수 있는 기능을 지닌 연합운동회가 전국적으로 붐을 일으킨 것으로 보인다. 이렇게 연합운동회는 참가자들의 즐거움 추구를 초월하여 대한제국의 국권 회복과 구국을 위한 문화였던 것이다. 1905년 11월 을사조약의 체결로 인해 실질적으로 국권을 일제에 빼앗기게 되면서 당시 운동회는 국권회복을 위한 장을 역할을 담당하였다.

우리나라 근대 스포츠의 문화는 영국, 미국, 일본 등의 영향을 받았다. 더 깊이 들어가면 그네들의 그 문화가 단위학교를 중심으로 유입되었고 학교운동회를 총해 사회로 보급되었던 것이다. 이렇게 사회운동회는 학교운동회에서 파생된 문화로 나타난다. 사회운동회를 통해 구한말 사회 전역에 근대 스포츠문화의 씨앗은 퍼져 나갔다. 나아가 이 씨앗은 오늘날의 사회운동회와 다양한 스포츠 경기대회라는 열매를 낳았다. 이 같은 성격과 의미를 지닌 구한말 사회운동회는 화부, 궁내부, 황성기독교청년회가 주요한 축이 되어 전개되었다.

운동회는 한국인들의 추억에 있어서 공통된 공감대를 형성하고 있는 의미 있는 문화이다. 우리는 보통 운동회를 생각하면서 참가자와 관중, 종목, 시상품, 노래 등을 떠올리곤 한다. 이런 요소들이 조화롭게 맞물릴 때 즐거움은 커지고 추억은 오래가기 마련이다. 운동회를 음식으로 치면, 노래는 주요한 양념 역할을 한다. 노래를 통해 더 큰 즐거움과 일체감을 갖게 되기 때문이다. 그만큼 노래는 사람과 사람을 이어주는 큰 힘을 지니고 있다. 뿐만 아니라 분위기와 흥을 돋우고 때론 위로의 도구로도 작용한다.

최근 운동회에서 등장하는 공통적인 노래를 보면, 애국가와 교가를 들 수 있다. 보통 애국가 제창은 개회식의 국민의례 순서에서 국기에 대한 경례 다음으로 등장한다. 교가 제창은 시상식 다음에 이러지는 교장선생님 폐회사 이후에 실시되는 것이 통상적이다.

하지만 이마저도 많은 학교에서 생략하고 있는 것이 현실이다. 학교 행사 꽃으로서의 위상은 다소 위축된 듯하다. 그래도 노래는 여전히 운동회에서 살아 있다. 운동장 스피커를 통해 흘러나오는 최신 댄스곡이 그것이다. 학생들은 그 음악을 흥얼거리며 어깨를 들썩인다. 그나마 하나된 목소리로 울리는 음성은 "오 필승 O반", "O반 이겨라" 등의 응원에 불과하다.

운동회의 태동기로 풀이되는 구한말 운동회에 나타났던 노래는 어떤 모습을 지니고 있었을까. 이러한 생각에서 다가오는 것은 '오늘날보다 풍성하고 규모 있는 노래들이 머물고 있었을 것이다.' 라는 느낌이다. 이와 같은 연유는 오늘날과 비교할 수 없을 정도의 다양한 종목, 대규모 참가자와 관중이 실증적으로 그려지고 있기 때문이다.[19)

　학교 운동회(運動會)는 주로 청홍전·청백전의 대항형식으로 진행되는 것이 대부분이며, 프로그램에 포함시키는 종목으로는 신체발달 단계에 따라 유희·각종 경주·줄다리기·리듬운동·구기운동·기마전·포크댄스·민속춤·단체경기 등 다채롭게 진행된다. 또한 교사·학부형들이나 지역사회의 주민들을 경기에 참가시켜 참여의식을 높이고 더욱 흥미롭게 진행하기도 한다.

　1960년대 대한민국의 운동회는 동네 사람들이 모두 모여 축제를 하는 현장과도 같았다. 운동회가 열리면 부모님과 친척들까지 출동하여 한자리에 모여서 운동회에 참가하는 자녀가 쉬는 쉬간이 되면 함께 도시락을 먹었다.

　당시 한 집에서 가족은 물론 친척까지 함께 살던 대가족의 모습을 볼 수 있었다. 심지어 동네 어르신과 주민들까지 모두 나서 한쪽에서 술판을 벌이거나 따로 운동종목을 진행하기도 하였다. 요즘의 총동문회 같은 분위기라고 보면 된다.

---

19) 윤상호, 박상석. 어릴 적 운동회를 그려본다, 한국체육사학회지, 2015: 12.

마. 생각과 느낌 사이에서

해마다 되풀이되는 연중행사의 하나지만 웬 난리인지 모르겠다. 엄동설한 꼭두새벽부터 수험생들과 학부모, 가족들이 거리로 쏟아져 나와 차도 사람도 서로 엉켜 오도가도 못하니 이게 난리가 아니고 무엇일까. 오늘은 대학입학 시험 날이다.

일 년 열두 달 하고 많은 날 중에 그 바쁜 연말연시에 날을 잡은 일도 그렇고 평소의 실력보다 오늘 하루에 모든 걸 결판내야 하는 일 등 도무지 이치에 닿지 않은 것 같아 답답할 뿐이다.

학무모들의 극성은 또 어떠한가. 어린애도 아닌데 시험장까지 따라와 얼음이 깔린 교정 땅바닥에 꿇어 앉아 두 손 모아 기도하는 어머니들. 아예 촛불까지 켜놓고 불공을 드리는 어머니들, 직장마저 팽개치고 왔는지 아니면 아예 그만두었는지 아버지들도 가세해 함께 서성거리고 있다. 그렇지 않아도 긴장되는 판에 가족들의 이 같은 극성이 수험생들에게 어떤 도움이 되는지 알 수가 없다.

우리나라의 교육열은 가히 세계적이라 할 수 있는데 무엇이나 지나쳐 좋을 게 하나도 없으련만 사람들은 그때뿐 지나가면 문제의 심각성을 잊어버리고 만다. 그래서 해마다 꼭같은 문제가 꼭같이 되풀이 되고 있다.

나도 1960년대 중학교부터 입학시험을 치렀는데, 어떻게 치렀는지 잘 생각나지 않는다. 분명히 기억에 남는 것은 언제나 혼자였다는 사실이다. 입학원서도 시험도 합격발표도 혼자였다. 식구에게는 아무에게도 알리지 않았기 때문이기도 했지만 알렸다 해도 별차 없었을 것이다. 그땐 우리집 뿐만 아니라 아무도 대학을 대단한 곳으로 생각하지 않았다. 돈을 벌어 가족에 도움이 되는 취업이 우선이었기 때문이다. 특히 여자가 시집갈 나이에 학교 어쩌구 하는 게 예사로운 일도 아닐뿐더러 유교 전통에 매달리는 구식 식구들에게는 더욱 별 것도 아닌 것이었다.

왜냐하면 당시 여자대학교 졸업생들은 소수지만 유난히 남의 이목을 집중시키는 결과를 가져왔기 때문이다. 예를 들면 신식 공부한다고 가정일보다 밖에 나돌아 다니는 일에 전념한다거나 기독교 신앙 때문에 제사지내는 것을 거부한다거나 사당에 모셔논 사당의 조상위패를 불태워 버렸다거나 나쁜 경우에는 신식 남자의 구식 아내를 밀어내고 후처나 첩으로 들어앉는 일이 비일비재했기 때문이다.

그건 그렇고 나는 시험준비라는 것도 모르고 시험지를 받았기 때문에 무슨 문제가 나났는지 어떻게 답을 썼는지 기억도 없다. 두려울 것도 초조할 것도 없이 담임선생님의 말씀에 의존했다. 지금처럼 성적 순위에 따라 선택할 학과가 전해지는 것도 아니고 도시 어떤 학과가 어떤 공부를 하는지 알 수도 없거니와 내 적성이 무엇인지 그런 까다로운 일이 필요치도 않았다.

무슨 요순시대의 예긴가 하겠지만 실제로 그랬다. 이렇게 쓰고 보니 아무래도 얘기를 좀 더 구체적으로 적어 보아야 할 것 같다. 시대적으로 격동기(언제 격동기가 아니었던 때가 있었던가!)에 자라서 전쟁의 막바지네 교육을 받은 우리세대는 한편으로는 말할 수 없는 손해를 입었다고 할 수 있겠으나 다른 한편으론 격동기의 부산물로 공짜 혜택을 받았다고도 할 수 있다.

전쟁은 모든 것을 잃게 했지만 또한 많은 것을 얻게 해주었다. 인명을 앗아가고 건물을 파괴하고 온 처지를 아수라장으로 만들었지만 사람의 생각만은 앗아지지 못했다. 많은 물질적인 재산이 손실되었으나 동시에 인간의 고질적인 편견과 잘못된 신앙, 버리고 싶은 우리의 유산 또한 함께 묻어 버린 듯 했다. 불타버린 잿더미 속에서 새로운, 보다 강한 생명이 잉태하듯 인간의 역사에는 끊임없는 생명력, 창조와 모험이 샘솟고 있다. 낡은 허물을 벗고 새살이 돋아나 듯 사람들은 어제의 아픔을 딛고 오늘에, 내일에 희망을 건다. 전쟁은 여전히 계속되는 가운데 피난지 부산은 차라리 활기에 차 있었다. 아무도 가진 게 없으면서 시중에는 없는 게 없었다. 미국에서 보내온 구호물자 중에는 생전 처음 보는 물건들이 가득했다. 부산 중심가로 알려진 광복동에는 언제나 사람들로 가득했고 줄줄이 늘어선 다방은 밤낮없이 초만을 이뤘다. 집도 절조 없는 사람들이 종일 진을 치고 앉아 있는 곳이 다방이었다. 다방은 모이는 사람들이 특징에 따라 각기 개성을 지니게 되어 다방 이름만 듣고도 어떤 사람들이 모이는가 짐작이 갔다. 장사꾼이 모이는 다방, 야미달러 아줌마들이 모이는 다방 등 이었다.

자기 자식을 다섯 명이나 고아원에 버린 루소(Rousseau)는 어떻게 아이를 길러야 하느냐에 관해 불멸의 대작 『에밀(Émile)』을 남겼다. 그는 또 '고백'에서 다음과 같이 선언하였다. 자기처럼 인간을 사랑한 사람이 없기 때문에 최후의 심판의 나팔이 울릴 때 떳떳하게 앞으로 나아갈 수 있다고. 파란만장한 생애를 보낸 그는 그러나 '인간은 태어날 때 선한 존재' 라고 믿고 고독한 산책길에 쓰러져 생을 마감했다.

옛날 농경 시대에 살았던 우리 조상들의 경우에는 가족주의적 정서가 그들의 의식 구조의 바탕을 이루었다. 삼강(三綱) 또는 오륜(五倫)을 기본으로 숭상하며 그들이 따랐던 전통 윤리의 바탕을 이룬 것도 역시 가족주의적 정서였음은 널리 알려진 상식이다. 그리고 우리 조상들의 경우에는 그들의 가족주의적 정서에 널리 알려진 상식이다. 그리고 우리 조상들의 경우에는 그들의 가족주의적 정서에 충실하게 사는 것만으로도 원만한 대인관계를 유지하기에 크게 부족함이 없었을 것이다. 왜냐하면 우리 조상들의 의식 안에서는 '나' 개인에 대한 사랑은 '우리' 인 가문(家門)에 대한 사랑 속으로 흡수되었고, 가문에 대한 사랑은 마을 이웃에 대한 사랑으로 연장되었기 때문이다.

대가족과 고향 마을 밖의 사람들과 접촉할 기회는 별로 없었으므로, 가문과 부락 내부에서의 인화만 잘 되면, 그 이외의 인간관계의 문제는 크게 염려하지 않아도 좋았을 것이다.

2. 소년 시절

소년(少年)[20]은 아주 어리지도 않고 완전히 성숙하지도 않은 사내 아이로 만 20세 미만인 사람으로, 소년 보호 사건의 심리의 대상이 되는 소년은 12세 이상이다.

가. 어두운 사회환경

"모주 지게미, 강냉이죽, 우유 배급!"

어머니 모(母)를 써서 모주(母酒)이다. 어원에는 몇가지 설이 있는데, 어머니가 술을 좋아하는 아들을 걱정하는 마음으로 몸에 좋은 약초를 넣어 맛도 달고 도수도 아주 약하게 만든 술이라서 모주라는 설도 있고, 제주도로 귀양 간 인목대비의 어머니 '광산부인 노씨'가 생계를 유지하기 위해 만들어 팔아 '대비모주'(大妃母酒)라고 했던 것이 '대비'가 빠지고 모주가 되었다는 설도 있다. 일설에는 인목대비는 서울 대가댁 식으로 청주를 걸러서 팔았

---

20) 소년(少年)은 보통의 경우에는 유년기 다음 시기를 뜻한다. 또 다른 연령별 호칭인 장년과 중년이 비교적 나이대를 특정하고 있는 반면, 이 소년이나 청년이라는 말은 사전에서 정확한 나이대를 지목하지 않는 특징이 있다. 고로 정확한 기준은 없으나 보통 학창 시절을 보내는 학생들을 뜻하며 만 7세부터 미성년자의 마지막인 10대 후반인 만 18세까지를 말한다

는데, 이것이 인기가 대단해서 멀리서 온 손님들이 자꾸 조르자 술지게미를 막 걸러서 만든 것이 막걸리, 그래도 손님들이 계속 조르자 술지게미를 있는 대로 쥐어짜 만든 술이 모주라는 이야기도 있다.

그 외에도 비지찌개 끓이듯, 술지게미에 물과 부재료를 넣고 섞어서 뜨끈하게 끓여낸 음식도 모주라고 한다. 보통 육체노동자들이 해장술을 겸한 아침 요깃거리로 즐겼다.

모주(母酒)는 막걸리를 이용해서 만든 탁주의 일종이다. 일단 주류로 분류되나 도수는 업소나 제품마다 다르지만 대체로 1% 근처다. 알코올 함유량이 거의 없다시피 하다고 봐도 좋을 정도.

전라도, 특히 전주 일대에서는 대추, 생강, 계피 등 한약재를 넣어서 색이 진하고 향이 강한, 마치 수정과에 막걸리를 섞은 맛이 나는 모주를 파는 곳이 많이 있다. 색깔은 보통 흑설탕으로 내는데 맛은 가게마다 조금씩 다르다.

일반적으로 해장국을 먹고 해장술로 모주를 마시는 경우가 많다. 그 당시에는 그 모주 지게미를 먹고 약간 술에 취해 등교하는 학생들도 많았다.

강냉이죽(粥)은 찧거나 쪼갠 옥수수에 강낭콩이나 팥 따위를 넣고 푹 끓인 죽이다. 먹는 것은 대부분 얻어다 먹고 집에서 지어 먹

는 대야 나물밥이 아니면 강냉이죽이었다.

그 강냉이죽도 아침 일찍 일어나 그릇 하나를 들고 강릉 사단이라는 곳으로 뛰어가서 줄을 서 있으면 한 바가지씩 나누어 주면 그걸 받아먹고 학교로 등교하곤 했다.

선생님께서 내일 우유를 배급하는 날이라면 각자 제일 작은 양은 밥통을 들고 왔다. 그때는 밥을 지어 늦게 오는 가족들을 위해 밥통에 밥을 해서 아랫목 이불 속에 묻어뒀던 그런 작은 양은 밥통들이 하나씩 다 있었다.

학교 운동장에 미군들이 트럭에서 두꺼운 종이로 만든 도라무깡(드럼통)을 내리면 우리는 운동장에 나가 밥통을 들고 와자하니 줄을 섰다. 우유를 보자기에 잘 싸서 어머니께 갖다 드리면 우유를 담은 양은 도시락을 밥솥에 넣고 찌면 딱딱한 우유과자가 되었다.

나. 사랑의 모든 것

적어도 내가 아는 사람들 중에는 한 사람의 예외도 없이, 학창 시절에 꼭 한번은 걸려서 앓아야 했던 열병이 하나 있다. 게다가 그 병은 일단 한 번 앓고 나면 평생을 잊지 못할 정도로 후유증이 남는 아주 무서운 병이다. 첫사랑. 바로 그 무시무시한 병의 이름 이다. 누군가는 그저 한 번 바라보는 것만으로도 그 병에 걸린다고 했고, 누군가는 어쩌다 손길이 스쳐도, 또 누군가는 평소와 다른 모습을 보자마자 그 병에 걸렸다고 했다.

다들 저마다 사유가 있어 보이지만 조금만 자세히 들여다보면 다른 사람들은 모르는 그 사람만의 어떤 반짝이는 순간을 바라보 게 되면서부터 그 병을 앓기 시작했다는 공통점이 있다.

누군가를 사랑하는 것은 태어나면서부터 죽을 때까지 계속 해야 하는 숭고한 일이지만, 모든 일들이 다 그렇 듯 사랑 또한 처음에 는 많이 서툴고, 익숙하지 않아서 낯설고, 때로는 무서운 기분마저 들어 많이 힘들어지는 것같다.

한 번도 겪어본 적이 없는 일인데다가 주변의 친구들 중 나보다 먼저 사랑을 앓았던 이들 중 대부분이 마음 아파하는 걸 봤던지라 사랑이라는 걸 시작하기 전에 겁부터 내기 일쑤다.

애당초 누군가에게 사랑한다는 고백을 내뱉는다는 것은 사랑이 라는 감정의 기준이 아직 정립되지 않은 이에게는 너무 가혹한 일 인지도 모른다. 그 사람을 바라보는 것만으로 심장이 떨리면 사랑 일까. 행동 하나, 미소 하나에 심장이 아려오면 사랑인 것일까.

그 작은 손을 잡고 싶어지는 마음을 더 이상 숨길 수 없을 만큼 괴로우면 사랑인 것일까.

내 이름을 부르는 그 조그만 입술에, 내 입술을 가만히 대고, 누구보다 가까이서 그 사람의 숨소리를 맡고 싶은 욕심이 나면 그제서야 사랑이라고 부를 수 있는 걸까.

어쩌면 첫사랑을 겪는 이들은 그저 바라보는 것만으로도 저려오는 심장에서부터 울컷 올라와 결국엔 입술을 비집고 나오는 그 한마디가 꼭 '사랑합니다,' 라는 말이 아니어도 고백일 수 있다는 걸 알기에는 너무 어렸던 걸지도 모른다. 첫사랑이 지나간 지 꽤 오래된 이 시점에서 고백컨대, 누군가를 사랑하는 일이라는 건 익숙함과 거리가 먼 일인지도 모르겠다. 나는 아직도 누군가를 사랑하는 일 서툴다.

내가 그녀에게 이야기를 들려줄 때면 그녀는 내 옆에 조용히 앉아 어깨에 기대기도 하고, 뒤에 웅크리고 앉아 등에 기대기도 했다. 그럴 때마다 그녀의 목이나 귀, 머리에서 은은하게 풍겨 나오는 향내를 맡곤 했다. 레몬 향이 나기도 했고 샐비어 향이 나기도 했으며 장미 향이나 월계수 향이 나기도 했다. 가끔 그녀가 말하는 것이 하나도 들리지 않을 때도 있었다. 나는 그녀가 말을 하기 위해 입을 열고닫고 또 웃는 것을 바라보는 게 마냥 좋았다.

넓은 논에 무르익어 고개 숙인 볏짚 사이로 메뚜기가 여기저기서 후두둑 후두둑 날아다닌다. 논두렁 끝에는 무지개가 떠 있다. 하늘에는 햇빛이 쨍쨍 비친다.

누구네 집이라고 할 것 없이 언제나 아궁이에는 따뜻한 된장찌

개가, 까만 가마솥에는 따뜻한 밥이 가득했다. 배가 출출해지면 집 주인 허락도 받지 않은 채 아무 집이나 들어가 박으로 만든 큰 바가지에 음식을 담아 먹었다. 지금도 그 맛을 잊을 수가 없다. 매번 아침이 되면 밥을 떠다 먹었던 그 집에서 욕을 하면서 소리를 질렀다. 하지만 언제 가더라도 가마솥엔 밥이 가득하다.

예전엔 종이가 귀했다. 재생 종이 공책이 대부분이었고, 내지 안쪽까지 줄을 쳐서 쓰곤 했다. 재생용 종이는 부스러기 같은 것이 걸리기도 했고, 종이 두께가 일정하지 않았다. 연필심인 흑심은 딱딱하고 흐린 색이거나 연필을 깎아보면 쉽게 부러지기도 했다. 글씨를 쓰다 보면 종이가 찢어지거나 연필심이 부러지기가 일쑤였다. 이를 방지하기 위한 것이 있었다. 지금은 사라진 책받침이다.

소년 시절 운동을 좋아해서 내 손발 무릎은 늘 상처투성이였다. 초등학교 4, 5, 6학년 때는 축구선수를 했으니 말할 것도 없고, 중학교 들어가서는 수업이 끝나고 방과 후에는 학급대항 '짜장면 내기' 축구시합이 유행이었다.

당시 길거리나 학교 운동장은 흙바닥이어서 한번 넘어지면 신체 어느 곳이든 가느다란 홈집과 큰 상처가 골고루 생겼다. 다치면 곧바로 피가 나오는 것이 아니다. 상처가 나고 조금 지나서야 피가 나온다. 당시에는 지금처럼 상처 보호 밴드 같은 것은 없었다. 대신 상처 위에 바르는 빨간약이 있었다. '옥도정기'라고 부르기도 했고, '아까징끼' 21)라고 부르기도 했다. '요오도 딩크' 22)라고 바르는 노란약은 멍, 타박상 부은 데에 발랐다. 요사이로 보면 안티프라민 역할을 했다고나 할까.

그 약을 바르기 전에는 시커먼 색으로 보였다. 그러나 살에 바르면 빨간색이 드러난다. 색상 때문인지 시각적인 효과가 컸다. 그 빨간약은 언제 어디서나 통했다. 그 약을 바르면 마치 요술 봉을 휘두르듯이 통증이 사라졌다. 지금 생각해보면 그 약을 발랐다고 해서 곧바로 통증이 사라진 게 아니었다. 여기엔 그 약을 발라주면서 호호하고 불어주던 엄마의 입김이 있었다. 그 입김이 더해지면 마치 배가 아플 때와 같았다. 어른들이 손으로 배를 살살 문질러주면 나아지듯이 통증이 금세 사라졌다.

다. 향수(鄕愁)

점방(店房)은 자그마한 규모로 물건을 파는 집이다. 어린 시절에는 점방 혹은 가겟방이라 불렀다.

장날이면 점방과 난가게(일정한 건물 없이 소규모로 물건을 벌이어 놓고 파는 가게) 혹은 난전(亂廛; 허가 없이 길에 함부로 벌여 놓은 가

---

21) 일본어의 영향으로 '옥도정기(沃度丁幾)'로 부르기도 한다. 이의 영향으로 머큐로크롬을 '아까징끼(赤いヨードチンキ)'로 부르기도 한다.

22) 요오드팅크(Jodtinktur, Iodine tincture)는 요오드, 요오드화 칼륨을 에틸 알코올에 녹인 용액으로 구급약으로 널리 사용되었다. 소독약으로 상처난 부위에 발라서 이용한다. 몸에 바르면 노란색으로 보인다. 현재는 포비돈 아이오딘에 밀려 예전보다는 적게 사용된다.

게), 노점(露店; 길가의 한데에 물건을 벌여 놓고 장사하는 곳)에서 돈도 얻고 음식 가게에서 떡 조각도 얻어먹고 밤에는 솥 걸었던 아궁에서 온기를 얻을 수 있으므로 장돌뱅이처럼 이 장 저 장 쫓아다니는 것이다. 점방들은 죄다 문을 닫고 더러는 외등까지 꺼 버렸으며 거지 애들만이 낮에 솥 걸었던 난가게 아궁이 앞에 다닥다닥 붙어 있었다.

문화적 변화로 공사판 인부가 날마다 늘어서 수백 명이 벅적벅적 들끓는데, 그 바람에 삼거리는 별안간 날개가 돋쳐서 음식점과 난가게가 늘어 가고 있었다. 열 대여섯씩은 넘어 뵈는 꼬마들이 여럿이서 잡채, 부침, 김밥 따위를 파는 노점 앞에 몰려 서 있다.

어느 날 포상을 받은 시민 중 한 명은 노점과 편의점을 운영하며 받은 5만 원권 지폐가 두껍고 숨은 그림이 보이지 않자 위조지폐로 판단하고 경찰서에 신고해 위조범을 조기 검거하는 데 기여했다.

활짝 열려진 점방의 문안으로 주인 할아버지가 졸고 있는 모습이 보였다. 동네 구멍가게 추억이 떠오른다. 구멍가게에 들어서자마자 가장 먼저 눈에 뜨이는 물건이 있었다. 입구에 놓여 있던 사탕 상자다. 칸칸이 나뉜 투명 상자 안에는 눈깔사탕이 색깔별로 누위있었다.

개눈까리! 아주 큰 크기에다 단단해서 입 안에 넣고 온종일 먹을 수 있는 사탕. 그 단맛을 얻기 위해서는 10원짜리가 필요했다. 갖은 방법을 동원해서 10원짜리 동전을 얻어 손에 꼭 쥐고 달려가던 구멍가게.

요즘 일상생활에서 10원짜리 동전을 쓸 일이 사실상 전무하며, 지난 1960년대만 하더라도 10원의 가치는 상당했다. 10원짜리 지폐는, 1962년 화폐개혁할 때, 통화 단위를 '환'에서 '원'으로 바꾸면서 처음 등장했다.

1960년대와 70년대초까지만 해도 아이들에게 주는 세뱃돈으로 10원짜리 지폐가 인기였다. 1966년 10원짜리 동전이 처음 나왔고 (한동안 1966년 동전 많이 모은 적이 있다) 동전 한 닢으로 살 수 있는 것들이 제법 많았다.

라면이 우리나라에 처음 등장한 건 지난 1963년으로 당시 봉지 라면 1개가 10원이었으며 식당 백반 값은 20~30원 정도였으니 10원은 작은 돈이 아니었다. 당시 10원짜리 동전 3개면 짜장면도 사

먹을 수 있었다. 먹거리뿐 아니라 버스 요금이나 톨게이트 비용 등 공공요금이 10원짜리 동전 한 닢이면 해결되던 시절이 있었고, 1980년대까지도 공공요금은 10원 단위로 인상할 정도 10원은 일상생활에 필요하였다.

10원 동전이 1966년 처음 발행됐을 때는 구리 88%와 아연 12%가 섞인 합금이었다가 1970년에 합금 비율이 구리 65%와 아연 35%로 바뀌었다. 구리의 비율이 줄면 금색과 비슷해져서 사람들이 선호하는 경향이 있다. 그러나 구리의 비율이 65%보다 낮아지면 너무 물러져 동전으로서의 가치가 없어져서 마지노선인 셈이다.

귀하신 몸이었던 10원짜리 동전은 물가가 뛰면서 1990년대 이후부터는 실생활에서 잘 사용하지 않게 되었다. 그럼에도 불구하고 단돈 10원에 사활을 거는 곳은 있었다. 유통업계로 고객 유치를 위해 경쟁사보다 10원이라도 더 싸게 팔겠다며 이른바 '10원 전쟁'을 한 때 하였다. 그러나 막상 동전은 '품귀현상'이 일어나기 시작했다.

한 예로 10짜리로 공중전화를 걸 때도 사람들은 10원짜리 동전 대신이 없다 보니 100원을 넣고 통화한 후, 잔돈을 포기하기 일쑤였고 돈의 가치가 하락하자 10원짜리 동전은 2006년을 깃점으로 재질과 크기가 달라졌다.

구리 가격이 계속 오르면서 10원짜리 동전을 만드는 데 드는 원재료 비용이 10원 이상이 들어가는 부담 때문에 알루미늄 재료로 만들었고 구리 가격이 오르자 이를 노린 범죄가 생겨 나기도 했다.

한 예로 구리 함유량이 높은 구형 10원짜리 동전을 모아 녹인 뒤 구리 뭉치로 되팔아 차액을 챙기는 경우가 핫뉴스 등장하여 종종 보고 듣게 되었다. 요즘 10원짜리 동전 중에 희귀 동전으로 평가 받으면 가격상 대우 받는다.

10원 짜리 동전의 경우 처음 나온 1966년 발행된 것은 30만원이상 하고 1970년 황동색은 10~ 20만원하는 반면 적동색은 30~100만원 한다. 10원짜리 동전은 황동색과 적동색 두 가지가 있는데 내 저금통이 조깨 있기는 하다

내 어릴 때 엄마에게 10원만 달라고 보챘는데 요즘 땅에 떨어져도 줍는 사람이 없다. 오래 전부터 저금통에 동전을 넣어 왔는데 요즘 동전이 안 생겨 답보상태인데 내 저금통을 내년엔 큰손자가 초교 입학기념으로 줄 생각이다.[23]

1970년 vs 2015년 "물가비교"		
	1970	2015
담배	10원	4500원
시내버스	10원	1050원
짜장면	100원	5000원
택시 기본요금	60원	3000원
라면	20원	(신라면) 750원
소주	65원	1300원
쌀40kg (1가마)	2,880원	5만700원

---

23) 홍민식(潤河). 10원짜리 동전의 회상, 2020. 08. 18.

구멍가게에는 겨울 냄새도 있었다. 예전엔 구멍가게마다 찜통을 가지고 있었다. 찜통에서 모락모락 피어오르는 찐빵의 김 냄새는 추운 겨울 마을 공기를 두루 덥혔다.

골목길 추억도 있었다. 어릴 적 마을마다 신작로 안에 큰길, 또 그 길 안에 좁디좁은 골목들이 연결되어 있었다. 골목은 돌과 흙냄새를 품고 있었다. 골목길을 내달리던 아이들의 신발 뒤축에선 날마다 흙먼지가 피어올랐다. 진짜 흙냄새는 비가 올 때였다. 특히 가랑비가 보슬보슬 내릴 땐 흙냄새가 진하게 났다. 빗방울이 땅에 떨어질 때마다 흙 알맹이가 몸을 이리저리 비틀며 투어 올랐다. 그 알맹이는 수줍게 내려오면서 주춤거리던, 비릿한 비 냄새에 한데 섞였다.

할머니와 할아버지 추억도 있었다.

할머니에게선 구수한 냄새가 났다. 할머니 집에서 띄우는 메주나 집에 저장하는 곡식 냄새가 주된 이유였다. 어린 시절 하면 떠오르는 냄새는 이렇듯 자연이나 사람, 음식에 관한 것들이다.[24]

할아버지 주로 담배 냄새였다. 할아버지께서는 항상 곰방대를 허리춤에 끼고 다니셨다. 할아버지는 곰방대에 담배 가루를 당쳐 넣으셨다. 곰방대를 물고 불을 붙이고 늘 담배 연기를 뿜어대었다.

어린 시절 우리 가족은 한 달에 한번 월중행사로 가는 곳이 있
다. 대중목욕탕이다. 이 주기는 집안마다 조금씩 달랐는데, 우리 집
은 딱 한 달이었다. 목욕하면서 돈을 들여야 하는 이유는 집에 목
욕탕이 없었기 때문이다. 있더라도 대부분 옥외에 있었다. 옥외에
다 높은 장독대를 만들고, 아랫부분에 목욕탕을 앉혔다. 그렇게라
도 목욕탕이 있는 집은 잘 사는 집이었다.

목욕탕이 있는 집도 흔히 온수시설은 없었다. 머리라도 감으려면
연탄불 아궁이에 커다란 솥을 올려 물을 데웠다. 그 물에 찬물을
여러 바가지 부었다. 머리 감은 물도 그냥 버리지 않았다. 그 물을
다시 빨래하는 데 재활용했고, 빨래한 물은 마당 청소에 썼다.

세탁기가 없던 시절이다. 목욕뿐만 아니라 빨래도 자주 하기 힘
들었다. 빨래는 여러 벌 모아 개천(開川)에 가서 빨랫방망이(빨래를
두드려 빠는 데 쓰이는 방망이)를 두드리며 세탁했다. 옷을 지금처럼
자주 갈아입지 않았다. 여러 가지 이유로 몸에선 냄새가 났을 것이
다. 같은 공동체 안에서는 냄새를 의식하지 못할 뿐이다.

우물가에서 어머니는 빨래 방망이를 탁탁 두들겨 패고 있었다.
어머니는 묵은 겨울 빨래를 방망이로 처덕거리며 빨았다. 개천에서

아낙네들이 두드리는 빨랫방망이 소리가 방정맞고도 흥겨웠다.

바윗돌에 디디고 앉아 맑은 강물에 빨래를 헹구고 방망이로 두드리노라면 갖은 시름이 다 사라지는 것이었다. 제 몸에 스몄던 온갖 더러움이 그 빨래처럼 희디희게 정결해지는 것만 같았다.

사실 대중목욕탕은 비싸서 겨울에만 갔고, 대부분 건너 마을 제법 큰 개울에 가서 헤엄을 치거나 물장난을 하다가 때도 밀고 빨래도 하곤 했다.

여름에는 마당에서 간단하게 등목을 했다. 지금은 사라진 목욕법이다. 목욕할 사람이 윗도리를 벗고 양손과 양발로 땅을 짚고 엎드리면, 다른 사람이 등과 목 그리고 허리께에 바가지로 물을 뿌려주는 것이다. 이때 엎드린 사람은 비명을 지르고, 물을 뿌리는 사람은 엄살 피우지 말라고 등을 후려치곤 했다.

지금도 어릴 적 등목하던 느낌이 생생하게 기억난다. 그대의 물은 지금처럼 수돗물이 아니었다. 뽐뿌(펌프)라는 기구로 지하수 물을 퍼 올린 건데, 지하수는 더운 여름엔 상대적으로 온도가 낮아서 무척 시원했다. 시원한 바가지 물세례를 받고 나서, 수박을 와작거리면서 먹으면 여름이 저만치 물러갔다.

그땐 지금보다 다들 사는 게 고달팠지만, 이런 등목 하나라도 웃

음소리가 담장을 넘나들었다.[25)

문득 어린 시절의 장면을 상상하면 가슴이 따뜻해진다. 뛰어놀다가 무르팍에 피가 나자 빨간약을 들고 뛰어오던 엄마와 이웃 아주머니의 모습. 그리고 부모님이 어린 자식을 위하여 이불을 여며 주시는 모습이다.

라. 넝쿨째 굴러온 박

박을 재배하여 박 바가지를 만들어 그릇으로 사용하였다. 장마철에 박잎으로 전을 부쳤고, 생박 회를 만들었고, 박나물을 만들어 먹었다. 생박을 말려 조청에 졸여 박 정과를 만들었다.

푸른 박이 무럭무럭 자라고 있다

25) 허윤숙. 달고나와 이발소 그림, 경기: 시간여행, 2022: 96-98.

1950년~ 60년대 봉강리(경북 상주시 외서면)에서는 집 집마다 호박구덩이 열 개를 파고 퇴비를 넣고 호박을 심는다면, 박은 한두 구덩이를 파고 박을 심었다. 박은 호박만큼 먹거리를 제공하지는 못했지만, 그릇이 부족하였던 시절의 박 바가지는 생활을 편리하게 하였다. 박도 호박같이 몰래몰래 넝쿨이 기어올라 초가지붕을 덮으면 흰 꽃이 피었다.

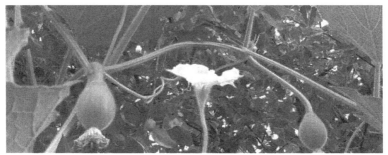

박꽃과 어린 박이 자라는 모습

뜨거운 여름 해가 서산에 기울기 시작하면 소복 입은 여인이 수줍은 듯 흰 꽃을 피우고 내려오는 이슬을 한 모금이라도 더 많이 받으려는 듯 긴 고개를 내밀었다. 친구나 이웃집에 모여서 십자수를 놓거나 삼을 삼던 여인들은 비가 오는 날에도 박꽃이 피기 시작하면 저녁을 준비할 때가 되었음을 알고 집으로 돌아갔다. 시계가 흔하지 않았던 그때 박꽃은 시계 역할도 하였다. 아침 해가 뜨면 박꽃은 흰 꽃잎을 오거리고 깊은 낮잠에 빠져들었다.

밤알만 한 박이 달려서 아이들 머리만큼 크면 박 모양을 예쁘게 만들기 위하여 짚으로 받침을 만들어 박 밑에 받쳐주었다. 달 밝은 밤에 달빛에 검은 초가지붕을 환하게 밝히는 흰 박꽃과 크고 둥근 하얀 박을 보노라면 왠지 허전함을 느끼게 되었다. 시골집 골목에서는 어디를 가더라도 쉽게 볼 수 있는 풍경인데 왜 그런 마음의 동요가 일어났을까?

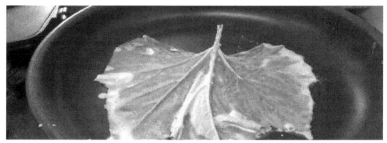

박잎으로 전을 부치면 모양과 맛이 배추전과 비슷하다

장마가 계속되는 여름에 전을 부칠 만한 배추가 없을 때 억세지 않은 박잎을 따서 전을 부쳤다. 배추전과 구분을 못 할 만큼 맛과 모양이 비슷하였다.

그때는 바가지를 생산할 목적으로 박을 심었기에 모양이 삐뚤어진 박은 익기 전에 따서 껍질을 벗기고 속을 파내고 삶거나 볶아서 박나물을 만들었다. 쓴맛이 심한 박은 반찬을 하여도 먹기가 힘들어 박을 따면 쓴맛이 나는가 맛을 보았다.

박잎 전과 생박 회

생 박을 채 썰거나 납작납작하게 쓸어 초장에 묻혀 박 회를 만들어 반찬을 하거나 막걸리 안주로 먹기도 하였다.

첫서리가 내릴 즈음 박을 따서 바늘로 찔러 완전히 익은 박과 익지 않은 박을 가렸다. 바늘이 들어가는 익지 않은 박은 오그라들어 바가지를 만들 수 없어 잘라서 소를 먹였다.

그중에도 익지 않은 연한 박은 머리 부분을 잘라 속을 파내고 껍질을 벗기고, 일정한 두께로 끊어지지 않게 오려서 빨랫줄에 늘어 말리고 일정 간격으로 잘라 소쿠리에 담아 보관하였다가 설 명절이나 길흉사시에 조청에 졸여 정과(과자)를 만들었다. 수십 년 전에 보았든 달고 쫄깃쫄깃한 정과 맛! 그때 그 맛은 아직도 입가에 남아 있는 듯하단다.

봄에는 찹쌀풀을 먹인 가죽이, 가을에는 생 박을 오린 박이 빨랫줄의 단골이었다.

예전에 많이 사용하였던 박 바가지

잘 익은 박은 박 꼭지를 바짝 자르고 흥부와 놀부전에서 박을 켜는 것과 같이 톱날이 가는 톱으로 위에서 아래로 잘라 속은 빼내고 큰솥에 여러 개를 넣고 삶아서 건져냈다. 박이 식으면 헌 숟가락으로 겉껍질과 허물 허물한 속을 완전히 파내고 엎어서 말렸다. 바짝 마르면 가볍고 단단한 박 바가지가 되었다.

호박씨는 호박 속에 낱개로 박혀 있는데, 박씨는 단단한 씨 집속에 박혀 있어 씨앗을 보관할 때는 씨 집 전체를 말려서 보관하였다. 자연산 박 바가지는 놋그릇, 사기그릇과 같이 밥그릇, 국그릇이 되어 밥이나 국을 담아 먹었고, 나물과 밥을 넣고 비벼서 여럿이 같이 먹기도 하였다. 물을 퍼먹는 물바가지가 되었고, 모든 것을 담아 두는 그릇이 되었으며, 발로 밟아 깨어 나쁜 액운을 쫓아내기도 하였다. 박 바가지는 잘 깨어지는 단점이 있는데, 남편을 들들 볶는 여인들 가슴속의 바가지는 깨어지지도 않는다는 말도 있었다.

1960년대 후반인가? 석유화학의 발달로 깨어지지 않는 플라스틱 바가지가 보급되기 시작하면서 우리 민족과 생사를 같이했던 박 바가지는 편리함에 밀려 우리들의 손길에서 멀어졌다. 지금 농촌에서 조롱박은 화초로, 큰 박은 박나물용으로 재배하고 있었다.[26]

화초용으로 키우고 있는 조롱박(상주역)

26) 유병길. 넝쿨째 굴러온 박, 시니어메일, 2021. 8. 2.

한 코흘리개, 국민학교 시절

나 어렸을 때 우리 집은 항상 사람들로 득실거렸다. 나의 남매만도 3남 2녀였다. 위로 누님 두 분이 계시고, 형님과 동생이 있었다. 물론 부모님 두 분이 집안을 이끌어나가셨고, 할머니도 떵떵거리며 살아 계셨다. 백부님도 한동안 우리 집에 기거하셨다. 백부님은 나에게 '명랑'이라는 약 사오는 것, 담배 값 얻어 오는 것 등등 잔심부름을 모두 시켰다. 나는 어른들 시키는 것 모두 다 해야 하는 줄 알았다.

막내삼촌에 대한 기억은 아주 희미하다. 어렸을 때 우리 형제들 괴롭히던 것, 대학교 여름방학 때 큰고모님이 계시는 대구로 내려가 유원지에서 익사사고 당한 것, 할머니가 땅을 치며 통곡하던 것, 영혼결혼식 시킨다고 하기에 진짜 귀신이 나오는 줄 알고 무서워했던 것 그런 것들이다. 몽달귀신, 처녀귀신 이야기 그 때 처음 들었다.

세 분 고모님들에 대한 기억도 남아 있다. 큰고모님 우리 집 별 채에 사시다가 이문동 신흥 주택가로 이사하던 것, 새로 이사한 집 에 놀러갈 때 멀리서 기차 지나가는 소리가 들려오던 것 마치 어 제 일처럼 생생하다.

둘째고모님 신혼 초에 사시던 전농동 시립 서울농업대학 관사에 놀러갔던 일, 거기서 그림책에서만 볼 수 있었던 젖소를 보고 신기 해했던 일도 기억난다. 막내고모님 결혼하시고 신행 다녀가던 날 그 집 시댁에서 처가 식구들을 모두 초대하여 거창한 대접을 받았 던 일도 생각난다. 고모님 시댁은 신당동에 있었다. 당시 내가 황 달에 걸려 어머니와 함께 병원에 가서 주사 한 대 맞고 신당동에 간 기억이 난다. 고모님이 사시게 될 방을 들여다보았는데 향긋한 분 냄새가 코를 찔렀던 것도 기억에 남아 있다.

결혼 전에 막내 고모부님께서는 고모님 마음을 훔치기 위하여 무척 고생하셨다. 실패에 실패를 거듭한 끝에 고모부님께서는 할머 니부터 공략하기로 결정하셨다. 그래서 우리 집에 올 때마다 할머 니 좋아하시는 군것질거리를 들고 오셨고, 유난히 할머니께 곰살맞 게 구셨다. 그때 고모부님 사 오신 군것질거리 당연히 내 입에도 들어갔다. 얼마 후 할머니께서는

"우리 김 서방, 우리 김 서방!"

하시며 이미 결혼을 마친 사위 대접을 해 주셨다. 고모부님 결혼 을 하고 나서도 할머니께 잘해 드렸다. 할머니는 무언가 기분 상하 신 일이 있으면 휘경동 막내고모 네 집에 가서 며칠씩 묵고 오셨 다. 어머니에 대한 일종의 시위였다.

국민학교 입학 전에 나는 집 근처 유치원에 다닌 적 있다. 약 1년 정도 되었을 것이다. 우리 5남매 중에 유일하게 유치원 교육을 받았다. 부모님들이 나에게 특별한 대접을 하려고 그런 것이 아니라 때가 잘 맞았기 때문이다. 내가 국민학교 들어가기 바로 전前해 마을 옆 공터에 누가 가건물을 지어 유치원을 열었다. 어머니께서는 없는 생활비 쪼개 가며 나를 거기에 집어넣으셨다. 그때 배운 내용들은 기억에 남아 있지 않다. 다만 마을에서 친구들과 놀던 것이 유치원에 가서 선생님 지도아래 유희도 하고, 노래도 배우고, 한글도 배우고…

그 당시는 국민학교에 들어가서야 한글을 배우기 시작한 아이들도 많이 있었다. 나의 형님은 이미 국민학교 입학 전에 어머니로부터 한글을 다 깨우쳤다. 나는 유치원에 가서 배우기 시작했던 것 같다. 그러니까 유치원에 가서야 형님 수준에 겨우 도달한 것이다. 어른들로부터 내가 어렸을 때 재롱을 많이 부렸다는 말을 들었었다. 그것 아마 유치원에서 배웠던 것 써먹었기 때문이 아닐까? 그러나 그 유치원 1년을 넘기지 못했던 것 같다. 다들 살기 어려웠던 시절, 아이들 유치원 보낼 형편이 되는 집 얼마나 되었겠는가?

내가 국민학교에 입학할 때 6촌 할아버지께서 낙원동 한옥에 살고 계셨다. 어머니는 내 주소지를 그리로 옮겨 근처에 있는 교동국민학교에 입학하게 해 주셨다. 입학식 날 주소지 동네별로 줄을 서게 되었다. 나는 낙원동 줄 제일 앞에 섰는데(키가 작았기 때문) "우리 동네에서 저런 아이 본 적이 없는데…" 하는 수근거림이 들리는 것 같아 뒷덜미가 따가웠다. 1학년 때 담임선생님은 잘 기억나지 않는다. 다만 막내고모님처럼 예뻤던 처녀 선생님이라는 정도가 머릿속에 남아 있다. 그는 서울 도심에 학생 수가 많아 한 학급 학생이 80명을 넘기고 90명 가까이 되었던 것 같다. 그리고도 저학년의 경우 2부제 수업까지 하였다. 나의 아이들 초등학교 때 한 반 학생이 40명도 안 되었다. 봄 소풍 때 창경원에서 어머니를 잃어버린 이야기는 어머니에 관한 글('어머니, 나의 어머니')에서 썼으므로 참고 바란다.

나 국민학교 입학했을 때와 요즈음 아주 다른 모습이 한 가지 있다. 그에는 가슴에 하얀 손수건을 달고 다녔다. 그 손수건 주로 손을 씻은 다음 물을 닦기 위해서도 썼을 것이다. 간혹 코를 닦는 데도 썼던 것 같다. '코흘리개 철부지' 라는 말이 있다. 어렸을 때 코를 많이 흘렸기 때문에 그런 말 나온 것 아닐까? 그런데 요즈음 아이들 코가 나온 것 별로 본 적 없다. 어린아이용 손수건도 보지 못했다. 이상한 생각이 든다. 손수건을 왜 주머니에 넣지 않고 가슴에 달고 다녔을까? 이상하게 생각하면 이상한 것투성이다. 너무 쓸데 없는 걱정 하는 것은 아닌지 모르겠다. 세상이 변했기 때문이라고 간단히 생각하면 쉽게 넘어갈 문제이기는 하다.

국민학교 2학년 때 담임선생님은 할머니 선생님인 것으로 기억에 남아 있다. 지금 기억이 그렇게 남아 있다는 것이지 40대 또는 50대 연세였는지 모른다. 어린 눈으로는 어른들이 다 늙어 보이는 법이기 때문이다. 그때도 어린이날이 있었다. 어린이날(어린이날이 공휴일이 아니었을 거라는 생각이 들기 때문)인지 또는 그 전날(어린이날이 공휴일이었다면)인지 수업이 끝날 때 선생님께서는 우리들에게 알사탕 몇 개와 연필 몇 자루씩 나누어 주셨다. 물론 선생님 개인 돈으로 사신 것이다. 모든 게 부족했던 그 시절, 자기 생일날도 챙겨 먹지 못하던 시절 그 귀한 선물은 우리들을 감격시키기에 충분했다. 선생님들의 권위가 땅에 떨어진 오늘날, 그 선생님의 그 마음씨 어디에서 찾을 수 있단 말인가? 요즈음은 파고다공원이 무료입장이지만 한동안 입장료를 내고 들어가야 했다. 그러나 그 전 나 국민학교 2학년 때에는 지금처럼 무료입장이었다.

무척 더운 여름날 나는 학교 끝나고 파고다 공원에 가서 놀다가 아이스케키를 사 먹었다. 그때 나는 5원을 가지고 있었는데, 집에 가는 버스 요금이 2원이었다. 그러니 2원짜리 아이스케키를 사 먹어도 충분했다. 그런데 내가 어리숙해 보였는지 아이스케키 파는 아이가 거스름돈을 주지 않고 사라져 버린 것이다. 맛있는 아이스케키 먹느라고 바빴던 나는 거스름돈 생각조차 하지 못 했고, 그걸 생각해 냈을 때에는 그 아이는 사라져 버리고 없었다. 그걸로 보아 아이스케키 파는 아이가 사람은 참 잘 보았구나 하는 생각에 쓴웃음을 지울 수 없다. 그 아이를 찾아서 파고다공원을 한참 돌아다니다가 하는 수 없이 학교로 돌아갔다.

내가 왜 6촌 할아버지 댁을 생각해 내지 못했는지 아직도 모르겠다. 학교에서 비비적대노라니 이걸 본 선생님께서 나를 부르셨다. 연유를 말씀드렸더니 선생님께서 우리 집에 같이 가자고 하셨다. 선생님과 같이 버스를 타고 우리 집에 도착했는데 마침 집에서는 대청소를 하고 있었는지, 무슨 공사를 하고 있었는지 무척 분주했다. 어머니는 선생님께서 일부러 오셨는데 차 대접도 못 한다며 무척 송구해 하셨다. 그때 나는 무사히 집에 도착했다는 안도감에 가방을 던져 놓자마자 선생님께 인사도 제대로 드리지 않고 밖으로 뛰쳐나갔던 것 같다. 물론 친구들과 놀기 위해서다.

'참. 나. 쁜. 놈. 같. 으. 니. 라. 고.'

국민학교 시절 나는 위에 계신 누님 두 분과 형님 영향을 많이 받았다. 물론 좋은 영향들이다. 집에는 그 분들이 보던 책이나 참고서들이 차곡차곡 쌓여 있었다. 나는 그저 아무 책이나 집어 들고 재미있으면 읽고, 어려운 내용이면 던져버리면 되었다. 언젠가 책상 위에 '시이튼의 동물기'라는 책이 놓여 있었다. 읽어보니 아주 재미있었다. 보통 책의 겉장을 넘기면 속표지가 나오고, 거기 책의 제목이 인쇄되어 있다. 당시 내가 글씨를 쓰는데 재미를 붙이고 있었는지 또는 그 책을 내 것으로 만들고 싶었는지 나도 모른다. 속표지의 책 제목 밑에 나의 서툰 글씨로 시이튼의 동물기라는 글자를 그려 놓았다.

얼마 후 큰누나가 소리를 질렀다.

"이 책 친구에게서 빌려온 것인데, 누가 낙서를 해 놓았어!"

나는 조마조마한 마음으로 가만히 있었다.

"새 책으로 사주면 되지 뭘 그러냐?"

어머니는 누가 그랬는지 추궁하지 않으시고 누나를 달래 주셨다. 이후 그 책 어떻게 되었는지 나는 모른다.

3학년 때 담임선생님은 노처녀 선생님이었던 것 같다. 약간의 히스테리 증세를 보였던 것 같은데 몇몇 아이들은 노처녀이기 때문에 그럴 것이라고 수근댔다. 3학년 때부터 어려운 학과 공부가 시작되었던 것 같은데, 학과 공부는 2년 터울인 형님 도움을 많이 받았다. 형님이 보던 교과서에는 선생님께 들은 주옥과 같은 내용이 빼곡히 적혀 있었다. 나는 형님이 공부했던 교과서 한 번 읽어 보기만 해도 도움이 많이 되었다. 또 형님은 학교에서 배운 노래를 집에서도 흥얼거렸다. 그 노래를 들으니 저절로 곡이 익혀졌다. 음악 시간에 선생님께서

"새로 배울 노래 아는 사람?"

나는 항상 손을 번쩍 들었다. 3학년 때까지 남학생과 여학생이 같은 반에서 공부하였고, 4학년부터는 남학생 반, 여학생 반으로 나뉘게 되었다.

4학년 때와 5학년 때에는 같은 선생님께 배웠다. 지금 기억으로 그 선생님은 전형적인 학교 선생님 모습을 하고 있었는데 검정색 안경을 쓰시고 검정색 가방을 들고 다니셨던 것 같다. 물론 이건 내 추측일 뿐이다. 그 선생님 존함은 조종화 선생님이시다. 4학년 초겨울 어느 날 나는 어머니와 함께 을지로에 있는 서울사대부국에 편입시험을 치르러 갔다. 나의 형님도 교동국민학교 다니다가 사대부국에 편입시험을 쳐서 합격하여 그 학교를 졸업하였다. 시험 문제는 교과서 내용과는 좀 다른 게 나와 당황했던 기억이 난다.

시험을 치르고 나오는데, 어떤 아주머니가 다가와 내가 입고 있는 잠바가 예쁘다며 잠깐 벗어 보라고 했다. 그때 나는 어른이 시키는 일이면 무엇이든지 해야 하는 줄 알고 있었다. 잠바를 벗어서 그 아주머니에게 건네주었다. 그 아주머니는 잠바를 받더니 건물 안으로 들어갔다. 잠시 후 나오겠지 하며 기다렸다. 오돌오돌 떨며

기다렸다. 아주머니는 오래도록 나오지 않았다. 이상한 예감이 들어 어머니가 기다리던 곳으로 가서 자초지종을 말씀드렸다. 그러나 상황은 이미 끝나 있었다. 그 잠바 얼마 전에 아버지께서 미국에서 돌아오시는 길에 내 몫의 선물이라고 사다 주신 가을용 잠바였다. 그게 자랑스러워 초겨울까지 입고 돌아다녔는데 그만 … 세상은 그런 법이라는 것을 어렴풋이 느낀 순간이었다.

6학년 들어서서 본격적으로 중학교 입시 준비를 하려고 했다. 이건 정말이다. 5학년 때까지는 열심히 하지 않았다. 그렇지만 성적이 상위권에는 들어있어 큰 걱정을 하지 않았고, 어머니께서도 형님 공부는 지독히 챙기셨지만 나에 대해서는 관심을 덜 가지셨다. 나는 그게 그렇게 고마울 수 없었다. 마음껏 놀 수 있었으니까. 형님은 성적이 월등하여 경기중학교에 지원했고, 선생님도 걱정하지 말라고 했다고 한다.

그러나 형님은 1문제를 잘못 풀어 낙방의 고배를 마셨다. 상현달과 하현달을 착각하여 틀렸다고 들은 것 같다. 입학시험이 그렇게 무섭구나 하는 것을 그때 느꼈다. 그래서 나도 열심히 공부하려 했다. 그러나 세상이 나를 그렇게 하도록 만들어 주지 않았다. 학년 초에 무시험제로 바뀐 것이었다. 그로부터 나의 결심은 무장해제를 당하였다.

6학년 때 우리 학교가 급식 시범학교로 지정되었다. 식사 시간이 되면 분단별로 나가 급식 판에 음식을 타 왔다. 어머니들께서 교대로 오셔서 배식을 도와주셨다. 선생님께서는 제일 나중에 받는 분단 아이들에게 기다리는 시간이 지루할 테니 한 명씩 교단에 나가 노래를 부르라고 하셨다. 노래는 3곡을 불러야 하는데 악기 연주를 하면 1곡만 해도 좋다고 하셨다. 나는 주로 짧은 노래를 불렀다. 그 때 부른 노래 중 '팽이'라는 노래가 기억난다.

"채찍 감아 돌리면, 빙글빙글 돌고, 빙글빙글 돌아가는, 잘도 도는 팽이 …"

지금 음악 교과서에 남아 있는지 모르겠다. 처음에는 무척 쑥스러웠지만 차츰 하다 보니까 적응이 되었다.

나는 가끔 하모니카 연주도 했다. 주로 연주한 곡은 '오 수산나'라는 곡이었다.

"멀고먼 알라바마 나의 고향은 그 곳, 밴조를 매고 나는 너를 찾아 왔노라, 오 수산나여 노래 부르자 …"

내가 이 곡을 선택한 이유는 하모니카로 연주하기 쉽기 때문이었다.

'도레미 솔 솔라 솔미, 도레미 미 레도레 …'

후일 내가 다른 사람 앞에 서서 자신 있게 노래 부르게 된 것도 그 때 선생님 덕분이다. 그 선생님 존함은 0상호 선생님이시다.

이렇게 나의 국민학교 시절은 끝이 났다. 그때 졸업식 노래는

"빛나는 졸업장을 타신 언니께, 꽃다발을 한 아름 선사합니다. 앞에서 끌어 주고, 뒤에서 밀며…"

이 졸업식 노래 아직도 불려지는지 모르겠다. 졸업식을 끝내고 오면서 어머니는 맛있는 자장면을 사 주셨다.[27]

세상을 다스리는 어른들은 아이들이 웬만큼 나이를 먹기 무섭게

---

27) bluebird. 코훌리개 국민학교 시절, 2008. 9. 16, 2024. 5. 1.

머리부터 빡빡 깎이고 나서 덜 자란 육체를 검정색 교복 안에 가두고 목둘레에는 빳빳한 스탠드칼라를 달아 목이 졸리도록 호크를 채운다. 그리고 그것도 모자라 칼라 위로 살짝 드러나게 칼날처럼 얇은 흰색 플라스틱 띠를 그 안에 끼우게 해서 아이들이 교복을 입을 때마다 느끼게 될 낯선 이물감을 통해 "이제 너희들은 우리 어른들이 정해 놓은 삼엄한 질서 안에 포획되어 꼼짝달싹하지 못하는 따분한 신세로 변해 버렸다. 순순히 말을 들어야지." 하고 끊임없이 속삭이는 것 같았다.

물론 내가 이런 '교복과 두발의 정치학'을 앞질러 눈치챘을 리는 없다. 하지만 아침마다 그 어색하고 불편한 교복을 챙겨 입고 서너 배는 무거워진 책가방과 씨름하며 훨씬 길어진 등굣길을 나설 때마다 어렴풋하게 느끼곤 했다. 중학교는 결코 달가운 곳이 아니었다. 그리고 그 무렵 겪었던 사소한 사건 하나까지 덧보태져서 나는 앞으로 중학교 시절이 결코 순탄치 않을 것이라는 사실을 일찌감치 예감하게 된다.

"야, 황보삼준! 임마 니도 동의중학교가?"

입학한 지 얼마 되지 않던 날 하굣길에서 국민학교 동창 하나를 만나 반가운 마음에 소리를 질렀다. 그 녀석은 키가 나보다 한 뼘은 더 크고 덩치도 우람했다. 친한 편은 아니어도 육 년을 같이 다닌 녀석이 반갑지 않을 리 없었고 겨우 얼마 전까지만 해도 이런 말투는 전혀 문제될 것도 아니었다.... 하지만 그 녀석은 예상 밖으로 사뭇 사나운 눈길로 나를 째려보면서 어슬렁거리며 다가왔다.

"영석이 이 새끼, 인자부터 그런 식으로 부르면 직이 뿐다. 임마 니가 아직도 회장인 줄 아나?"

어, 이게 아닌데, 얼떨떨했다. 그 녀석은 아예 이참에 확실하게 눌러 두겠다는 듯이 내 턱을 잡고 두어 번 가볍게 흔들며 다른 손으로는 내려칠 듯이 을러대고는 유유히 돌아서서 가 버렸다. 나는 막연하게나마 이제부터는 나를 둘러싼 생태계가 국민학교 때와는 판이하게 달라졌다는 것, 전혀 색다른 사내아이들의 힘의 질서에 적응하지 않으면 안 된다는 사실을 어렴풋이 깨달았다.[28]

요즘은 대부분의 학교에서 화이트보드를 쓰거나 대형 화면을 사용하는 경우가 많습니다. 하지만, 제가 국민학교 다닐 때는 녹색 칠판을 사용했고, 선생님은 분필을 사용하셨습니다. 왜 녹색 칠판이었는지 궁금해하신 적 있으신가요? 칠판이 녹색이었던 이유에는 근거가 있습니다. 우리가 주변을 둘러보면 다양한 색깔들이 존재합니다. 하지만 그 중에서도 녹색은 특별한 매력을 지닙니다. 푸른 숲, 싱싱한 풀잎, 그리고 에메랄드빛 바다까지, 자연 속에서 흔히 볼 수 있는 녹색은 우리에게 평온함과 안정감을 선사합니다. 흥미로운 사실은 녹색이 단순히 시각적 효과 이상의 영향을 미쳐 우리의 창의력을 높여준다는 것입니다.

28) 이상경. 갈팡질팡하더라도 갈 만큼은 간다. 서울: 양철북, 2011: 154-155.

연구에 따르면, 녹색을 보면 인간은 자연 속에서 느꼈던 평온함과 안정감을 연상하게 됩니다. 이는 뇌 전두엽 활동을 증가시키고 스트레스를 감소시키는 효과를 가져옵니다. 스트레스가 사라지면 뇌는 더 자유롭게 작동하며 새로운 아이디어를 떠올리기 쉬워집니다. 또한, 녹색은 자연 성장과 발전을 상징하는 색상입니다. 이러한 이미지는 우리에게 긍정적인 에너지를 불어넣고 새로운 도전을 하도록 용기를 북돋아줍니다.

녹색은 눈의 피로를 줄이고 시력 회복에도 도움을 줍니다. 또한, 혈액 순환을 원활하게 하고 면역력을 향상하는 효과가 있다는 연구 결과도 있습니다. 이처럼 녹색은 우리 몸을 편안한 상태로 만들어 줍니다. 편안한 몸은 집중력을 높이고 명확한 사고를 가능하게 합니다. 집중력이 높아지면 창의적인 문제 해결 능력도 향상되고 새로운 아이디어를 떠올리는 데 용이해집니다.

녹색이 창의력을 높이는 데 도움을 준다는 것을 알았다면 이제 일상 속에서 녹색을 적극 활용해 보세요. 사무실이나 집에 녹색 식물을 배치하거나, 녹색 벽지를 사용하는 것도 좋은 방법입니다. 저의 사무실은 3층에 위치해 있는데, 눈이 피곤할 때마다 창문을 통하여 먼 곳에 있는 녹색 산을 바라봅니다. 일상생활에서 스트레스를 느낄 때는 잠시 멀리 떨어진 녹색 산을 바라보는 것은 큰 도움이 되는 것 같습니다. 녹색은 단순한 색깔 이상의 의미를 지닙니다. 녹색은 우리에게 자연과의 연결감을 선사하고, 신체적 안정감을 가져다주며, 창의력을 높여줍니다. 일상 속에서 녹색을 적극 활용하여 더욱 풍요롭고 창의적인 삶을 만들어 나가 보십시오.[29]

3. 청소년 시절

청소년(靑少年)[30]은   미성년의 젊은이들을 통틀어서 이르는 말로 흔히 십 대의 젊은이를 일컫는다. 청소년 기본법에서, 9세 이상 24세 이하인 사람이다.

사친회비! 이 괴물이 내 인생의 가는 길목에서 큰 전환점(轉換點)을 맞게 되는 계기가 되었다.

사친회비는 1952년에 처음 도입되었는데 국민학교의 의무교육화와 중고등학교 진학률 증가, 전쟁 비용과 전후 복구 문제로 국가의 지원이 적어서 학교운영 자금이 모자랐기 때문이었다. 1950년대와 60년대 초반까지 사친회비가 학교 운영비에서 차지하는 비중이 절반에 달했을 정도로 학교재정 운영에 있어서 핵심적인 부분이었다.

말이 좋아 자진이지 사실상 강제였다. 만일 못 냈다면 선생님이 불러 독촉했으며 심하면 샌드백 취급을 했다. 법적인 근거는 전혀 없으며 오히려 뇌물죄에 해당하는 불법적인 수금이다. 아무리 학생들 대상으로 한 체벌이 일상적인 시대라지만 돈을 안 냈다고 때리는 것은 사채업자나 할 짓인데 가정형편이 어려운 게 뻔히 보이는 애들 상대로 선생님이 그런다는 것은 인륜에 어긋난다는 것이 기

---

29) 수집쟁이. https://data-tong.tistory.com/885. 나의 국민학교 시절 칠판이 녹색이었던 이유, 좋은 생각, 인생의 길을 찾아서:티스토리. 2024. 4. 29.

30) 몇 살부터 청소년이라고 하며, 몇 살까지 청소년일까? 이에 대한 답은 법률이나 조례 등으로 정해져 있다. 하지만 법률마다 다르고 조례마다 다르기 때문에 이 말로 인한 불이익을 당하지 않으려면 해당 시군구의 조례도 꼭 살펴야 한다. 물론 사전에는 청년과 소년을 아우르는 말이라고 나와 있지만 현실은 매우 복잡하다.

본적인 인식이었다.

당시에는 국민학교에서 수업료, 기성회비, 육성회비를 내지 않는 학생들을 학교에서 독촉하는 경우가 많았는데 담임 교사가 미납자를 호출하여 회초리로 체벌하거나 동네방네 소문을 내는 갈굼을 주기도 하였다.

당시에는 한 반에 적어도 50~60명은 되었던 데다 하루 벌어 하루 사는 가정도 적지 않아서 육성회비를 제때 못 내는 가정도 많았다. 육성회비 문제 때문에 자퇴나 퇴학, 전학가는 경우가 드물지 않았다.

하근찬의 흰종이 수염과 검정 고무신의 '보릿고개 시련기' 편에서 사친회비 납부와 관련한 사회상을 엿볼 수 있다.

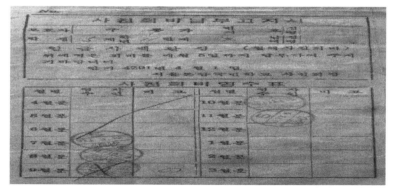

고등학교 2학년 말 그 사친회비를 내지 못하여 학교에서 쫓겨나는 신세가 되었다. 우리 반은 7~8명 정도가 된 듯하다. 그래서 우리는 동네 산꼭대기로 향했다. 그곳에는 이미 다른 반 학생 몇 명도 있었다. 우리들은 막걸리도 마시고 더러 담배를 피우는 학생도 있었다. 나는 멍하니 그들 곁에 앉아 구경만 할 뿐이었다.

다음날도 책가방을 들고 집을 나왔다. 정처 없이 골목길을 걷다가 그 산꼭대기로 향했다. 그 후부터 스스럼없이 그곳이 우리들의 놀이터가 되었다. 지나간 이야기지만 그때 학교를 그만두고 공장에 가거나 기술을 배우기 고향을 떠난 학생이 꽤 된다.

사친회비를 못 낼 정도로 어려웠던 우리집 사정은 이러했다.

지금은 이해가 되지만 그때는 어머니가 원망스러웠다. 사회와 선생님들은 학생을 언제나 차별하는 존재라고 생각했고, 세상에 모든 사람들은 어려운 사람을 무시하기 때문에 언제나 지면 안 된다고 생각했다. 언제나 모든 인간들을 행해 도끼눈을 뜨고 사고 칠 준비를 하고 있었다. 이런 내가 그 후 교직에서 학생들을 가르치는 일을 했으니 참 아이러니(irony; 예상 밖의 결과가 빚은 모순이나 부조화로 모순된 점이 있다) 하다. 하지만 도리어 그러한 경험으로 어려운 학생들에 대한 이해도가 다른 선생님보다 높았는지도 모른다.

우물을 벗어난 개구리는, 올챙잇적 시절을 잊어버린 게 아니라 물 속에만 갇혀있던 시절엔 볼 수 없었던 걸 보게 되면서 자신이 알고 있던 모든 것의 가치를 재측정한 것뿐일지도 모른다.

언젠가 친구 녀석이 찾아와 연애 고민을 털어놓은 적이 있다.

본인 사귄지 반년 정도 된 여자 친구가 있는데, 그 여자 친구가 담배를 끊기로 약속을 해놓고서는 며칠 전에 갑자기 대뜸 미안하다고 고백을 했단다. 오빠랑 데이트 안 할 때 몰래 두어 개피 정도 핀 적이 있다고, 미안하다고 말했답니다.

그래서 그 친구의 고민인 즉, 일전에도 이랬던 적이 있어서 두 번 다시 담배를 피우면 헤어지자고 약속을 했었는데, 이걸 용서해

줘야하냐는 것이다.

나는 빙그레 웃으며 친구에게 간단하게 말해줬다. 네 여자 친구가 너한테 자기 잘못을 고백하는 데에는, 어쩌면 네가 여자 친구를 용서하는 것보다 더 많은 용기가 필요했을 테니까, 그냥 가서 얼굴 보고 머리 한 번 쓰다듬어 준 후 꼭 안아주라고.

누군가 자신의 잘못을 고백하는 데에는 어쩌면 자신으로 하여금 잘못을 용서하는 것보다 더 많은 용기가 필요할지도 모른다.

2학년 때 속초 설악산으로 수학여행을 갔었다. 처음 친구들이란가는 여행이라 들뜨기도 하고, 아름다운 전경에 너무 즐겁고 행복했다. 여관의 너른 마당에서 캠프파이어(Campfire)를 하며 난생 처음 통키타 소리에 맞춰 못추는 개다리춤, 고고춤을 신나게 추며 흥겹게 놀았다.

가. 외조부의 죽음

외할아버지는 부드럽게 울리는 목소리로 나를 종종 '귀여운 내 새끼' 고 부르셨고, 후렴으로 '김복동 그놈 나쁜 놈이여' 하며 차가운 눈빛은 눈물이 어려 흐릿해지곤 했다.

모든 사람들이 이렇게 말하곤 했다. "저 어린 것이 애비없이 쯔쯔." 외할아버지는 나를 끔찍이도 예뻐하셨다. 당신의 자식인 외삼촌에게는 그렇게 많은 애정을 보이신 적이 없었던 듯하다. 사실 외삼촌은 이발소에서 숙식을 했기 때문에 외할아버지와 자주 만날 수 없었고, 외할아버지의 도움을 필요로 하지 않았다. 반면 나는 모든 것을 외할아버지에게 의존했다. 외할아버지는 한없이 넓은 아량으로 나를 존중해 주셨다.

그 당시 장사(葬事)를 치르면서 생각나는 일은 외손자는 베옷을 입을 수 없고 광목으로만 된 상복을 입어야 한다는 것과 어머니가 상문살(喪門煞; 사람이 죽은 일로 일어난 煞)에 맞았다고 굿을 하는 등 에피소드(episode)가 기억난다.

2. 텔레비전

내가 청소년 시절만 해도 텔레비전이 있는 집이 드물었다. 당시 텔레비전 가격이 무척 비쌌다. 그때 우리 집은 강릉시 홍제동 북바위에 살았는데 주변엔 주로 농업에 종사하는 서민들이 살았다. 어느 정도 수준이었는가 하면 대부분의 구매 행위가 100원 단위로 이루어졌다. 100원어치 콩나물을 사 오라는 말은 당시 엄마들이 많이 시키던 심부름이었다. 내 기억에 500원짜리부터는 큰돈이었다. 그래서 그런지 500원은 종이돈이었다.

하루는 방앗간에 사람들이 모여서 시끌벅적했다. 다가가서 보니 어떤 사람이 100원짜리 지폐를 주고 거스름돈을 거슬러 간 것이다.

그러자 주인은 사람들을 불러 모아 구경시켜주었다. 그 종이돈을 양손으로 반듯하게 펴서 보여주던 주인의 모습이 생생하다.

우리 동네에서 유일하게 텔레비전이 있는 집이 있었다. 반장집이었다. 당시엔 TV라고 하거나 텔레비전 혹은 텔레비전 수상기라고 하지 않고 '텔레비'라고 불렀다.

흑백텔레비전(黑白television) 도입 시기는 1950년대 초, 중반 외국에서 수입으로 들어온 흑백 텔레비전이 시초이고, 텔레비전 방송이 1956년 5월 12일 대한방송에서 시작되었으며, 미군 PX를 통해서 흑백 텔레비전이 도입되었다. 최초의 국산 TV 수상기는 금성사 VD-191이다.[31] 19인치짜리 진공관 흑백 TV로 1966년부터 생산이 시작되었고, 1968년까지 생산한 것으로 보인다.

하지만, 1950년대 중후반에는 텔레비전을 서울과 수도권 등 일부 지역만 시청할 수 있었던 데다, 전부 수입품 밖에 없었고 사치품으로 분류되어 관세도 높았기 때문에 일반인은 범접할 수 없었다. 그 때문에 부유층의 전유물로 취급되어서 TV보급률은 대단히 낮을 수밖에 없었다.

국산 TV 수상기 생산이 시작되어 상대 가격이 내려간 1960년대에도 일본산이 10만 원, 미국산이 13만 원, 위 금성TV가 7만 원[32] 정도로 1967년 기준 월평균 임금이 정확히 8324원[33], 쌀 한 가마니(80kg)의 값은 3590원[34], 서울 집값이 평당 5~10만 원 정도라는 것

---

31) 진공관식을 뜻하는 영어 "Vacuum Desk Type"에서 앞글자 VD를, 19인치라는 의미에서 19를, 첫 텔레비전이라는 의미에서 1을 더해 만든 모델명이다.
32) 1967년 기준으로는 63500원이었다. 참고자료 2023년 가치로는 220만 원이다.
33) 2023년 가치로는 약 28만 8000원이다. 사족으로 이 통계는 한국 최초의 산업별 임금 실태 조사였다.

을 감안하면 엄청난 고가였다.[35] 더군다나 당시에는 전력보급률이 낮았기 때문에 기껏 TV를 얻는다해도 보지 못해서 애물단지가 되는 경우도 부지기수였으며 1960년대에는 TV수신료가 월 100원(1963)~300원(1970) 정도였는데, 당시 한 달 급여를 감안하면 매우 비싼 금액이었다.

그래서 텔레비전은 전화기와 마찬가지로 동네에서 몇 집에만 있었고, 서민층들에게 말 그대로 그림의 떡같은 존재였다. 물론 비싸다보니 도둑맞기 쉬운 물품이었던 것도 당연지사였다. 하여튼 그렇기 때문에 한일전이나 인기 드라마 같은 대박 프로그램이 있는 날이면 온 동네 사람들이 동네 한두 군데 있는 텔레비전 있는 집으로 몰려들어서 방송을 보기도 했고, 당대 대다수 만화방이나 다방, 일부 구멍가게에서 거금을 들여 TV를 설치한 다음에 만화책을 단골로 보는 애들이나 푼돈을 낸 청소년, 커피를 단골로 마시는 고객들을 상대로 TV를 볼 수 있게 하는 식으로 영업했다고 하며 수입도 제법 짭짤했다고 한다. 물론 프로레슬링이나 권투 세계타이틀전, 한일전같이 인기 스포츠 중계라도 있는 날은 가격이 몇 배로 올라가기 일쑤였기 때문에 원성도 자자했고, 간혹가다가 실랑이가 벌어지기도 했다.

그래서 당시 TV가 있으면 엄청나게 떵떵거릴수 있었다. TV 있는 집안 아이에게 각종 아부를 떨면서 TV를 보려고 애썼던 아이들이 많았고 어른도 TV를 보기 위해서 TV 있는 집 주인에게 성격이

---

34) 2023년 가치로는 약 12만 4400원이다. 이는 당시 일반적인 가정의 3개월치 식량 수준이었다.
35)전술한 월평균 봉급과 비교하면 8개월치 봉급은 거뜬히 뛰어넘는다.

어떻건 간에 아부떨기 바빴다는 후문이 전해져 내려온다. 그렇게 하지 않으면 만화방이나 다방, 구멍가게나 전파상 같은 곳에서 돈 내고 봐야했으니까. 그래서 1950년대 후반부터 1970년대 초반에 이르기까지 TV가 있는 집들이 동네 사랑방 역할을 하였고, 시골 같은 곳에서는 1970년대 말까지 지속되었다. 이 풍경은 1970년대 들어 가정으로의 TV 보급과 '아동도서 정화대책'을 계기로 없어지는 듯하다가 1980년대 VTR 보급으로 인해 비디오 상영 목적으로 만화방에 재등장한 바 있었다.[36][37]

그땐 TV가 무척 무거웠다. 크기는 작은 옷장만 하고, 무게는 어른 두 명이 들어야 했다. 양쪽에는 스피커가 달려서 귀를 갖다 대면 웅웅 소리가 났다. 그 신기한 물건 안에는 사람들이 자주 보였다. 종일 나오는 건 아니었다. 저녁 6시인가 시작되어 12시에 끝났다. 열 두시만 되면 웅장한 반주에 맞춘 애국가가 울려 퍼지면서 화면이 자동으로 꺼졌다.

황금 시간대도 있었다. 저녁 7시쯤이었는데, 주로 드라마가 나오는 시간이었다. 아니면 구봉서나 배삼룡이 나오는 '웃으면 복이 와

---

36) 기존 TV보다 전력소비량 30% 감소, 수명 2배, 선명도 10% 증가라는 당시로서는 파격적인 성능을 자랑하는 광고다. 프리미엄급 TV에 속했다.
37) 나무위키. 텔레비전전/역사, 흑백텔레비전, Daum, 2024. 6. 14.

요' 나 최불암이 반장으로 나오는 '수사반장' 이 나왔다. 그 시간
대에 동네 사람들은 텔레비전이 있는 집으로 우르르 몰려갔다. 그
런데 너무 몰려와서 그랬나. 아니면 일찍부터 상영권이나 시청료
개념이 자리 잡은 건가. 주인이 관람료를 받았다. 꽤 비쌌다. 1월이
나 2월 정도였다. 돈이 없으면 마당에 서서 화면은 못 보고 그저
듣기만 했다. 라디오가 일상이던 때라 그것도 감지덕지였다.[38]

　옛날 60년대에도 유선방송이 있었지. 옛날 60년대에도 유선방송
이 있었다면 믿으시나요? 내가 살던 강릉에는 유선방송이 있었다.

　방송국이 강릉시내에 있었다. 무슨 방송일까? 바로 라디오와 음
악을 전송해 주는 요즘 케이블 방송과 비슷한 방식이었다. 방송국
이라지만 개인이 했다. 전송 장치가 있고 DJ처럼 시간별로 방송을
송출하는 방식이다. 방송국에서 전선을 깔아 연결을 하는 것이다.
신청을 하면 집까지 케이블을 연결하고 스피커를 달아 준다. 그리
고 송출하면 방송이 나오는 것이다. 채널은 3개였다.

　라디오가 귀한 시절 유선방송은 저렴하게 들을 수 있었다. 다만
한가지 흠이라면 24시간 방송이 아닌 정해진 시간 안에서 선택한
방송을 들을 수 있었다. 혼자가 아니라 여럿이 듣기 위한 것이라
마루에 대부분 설치를 해 들었다.

　나는 소년 시절에는 유선으로 시청했으나 청소년 시절에는 유선
방송이 사라져 무선으로 라디오를 들을 수밖에 없었다. 산 높은 곳
나뭇가지에 장대를 엮어 매고(안테나) 전선 줄을 라디오와 연결하고
다른 한쪽은 땅에다 줄을 연결(어스)하는 방법으로 설치를 해 라디

38) 허윤숙. 달고나와 이발소 그림, 경기: 시간여행, 2022: 146-148.

오 방송을 들었다. 여유가 있었던 사람들은 들고 다니는 무선 라디
오를 갖고 다니기 시작했다.

남부민동 희섭이네 집이 우리 아지트였다. 마침 그때 희섭이가
고물 트럼펫을 하나 구해서 뿜뺌빠라빰빠 소리를 밀어내는 연습을
하던 중이기도 해서 우리가 거기에 모이는 날이면 버스 정류장에
서부터 한 줄로 서서 희섭이가 앞장서 부는 트럼펫 소리에 맞춰
제 먹을 라면 한 봉지씩을 흔들어 대며 그 집으로 몰려가고는 했
다. 동네 사람들이 흘깃거리며 웃었고 우리도 마주 웃었다.

우리는 자주 소풍도 다녔다. 선들선들 바람이 불어 놀기 좋아하
는 머슴애들 콧구멍이 빵처럼 부풀면 어김없이 무슨 구실을 붙여
서라도 해운대로, 송도의 혈청소 부근 해안으로, 범어사 계곡으로
몰려다녔다. 때로는 자전거를 타고 가기도 하고 때로는 마라토너처
럼 달려서 가기도 했다.

해운대 백사장에서 모래를 쌓아 상처럼 만들고 작은 홈을 파서
간장을 담은 비닐봉지를 그 안에 넣고 봉지의 입구를 잘 벌려 놓
으면 작은 종지처럼 되었다. 시장통에서 사 온 튀김이나 부침개에
다 소주를 돌리며 '예술'과 '혁명'을 주워섬기던 그때, 드물게
누리는 좋은 시절이었다.[39]

3. 그때에는

당시엔 저녁 6시만 되면 어디선가 애국가가 들려왔다. 오른쪽 손을 왼쪽 가슴에 대고 국민의례를 행하는 것이다. 애국심이 넘쳤던 나는 집에서도 그 소리만 들리면 벌떡 일어나서 왼쪽 사슴으로 손을 올렸다. 반공교육이 철저했다. 화재 신고 번호는 몰라도 간첩신고 114는 알았다. 반공을 주제로 한 포스터 그리기와 표어 대회가 수시로 열렸다.

"나는 공산당이 싫어요." 이승복 어린이가 했던 말이다.

1968년 말 울진-삼척 무장공비 침투사건에서 희생된 피해자로 어머니, 남동생, 여동생과 함께 북한 간첩에 의해 살해되었는데 그때 했던 말이 나는 공산당이 싫어요.

오랜 기간 동안 반공 교육의 중심에 있던 인물로 그때 다니던 학교가 속사국민학교 계방분교이고 2학년이었다. 무장공비들이 이승복네 가족 5명을 안방에 몰아넣은 다음 북한 선전을 했는데 당시 열 살이었던 이승복 어린이가 "우리는 공산당이 싫어요." 라고 하자 밖으로 끌고나가 손가락을 입속에 넣어 찢은 다음 돌로 내려쳐 죽였다는당시 조선일보 1968년 12월 11일 3면에 난 기사이다.

나중에 발견된 이승복의 시신은 오른쪽 입술 끝부터 귀밑까지 찢어져 있었고 뺨 중간과 귀 근처에 십자 형태의 상처가 있었다고 한다. 36곳에 칼을 맞고 거름더미에서 발견된 형 이학관과 이웃집 이사를 돕다가 돌아와 공비에게 붙잡혀 다리를 칼에 찔린 뒤 도주

---

39) 이상경 갈팡질팡하더라도 갈 만큼은 간다, 서울: 양철북, 2011: 230-231.

한 아버지 이석우 그리고 할머니 강순길(1980년 별세)은 살아났으며 아버지가 즉시 향토예비군 초소까지 가서 신고했다고 한다.

이 사건을 반공 선전 목적으로 이용하는 것이 부적절하다는 의견도 있었는데 성인도 아닌 9살 세상 물정 모르는 어린소년이 공산주의와 자본주의 체제 의미를 알고 자본주의 체제가 더 우월하다고 스스로 판단해서 공산당이 싫다고 발언했다고는 볼 수 없다.

그냥 말로만 들었던 공산당은 나쁜 것이라는 사실을 주변이나 학교에서 주입받고 그대로 말했을 것이라는 것이다.

2024년 4월25일 재향군인회 안보교육차 강원 평창군 용평면 운두령로 500-11에 있는 이승복 기념관 방문했다.

반공정신을 기리기 위해 기념관을 세웠다고 한다. 전시되어 있는 무기 앞에서 사진 찍으며 기념관에 웬 무기가 전시되어있나 생각했는데 아마도 전쟁의 위험을 알려 반공정신을 강조하기 위함 아닐까? 라는 내 생각.

공부하길 좋아하는 사람은 없을 것이다. 자기가 좋아하는 영화를 보거나 음악을 듣는 건 공부라고 하지 않는다. 일반적으로 공부는 시험이 뒤따르거나 하기 싫은 내용을 외우는 것에 붙이는 이름일 것이다. 자기가 좋아하는 걸 공부하면 그냥 연구라고 해야 하나.

'국민교육헌장!'

국민교육헌장(國民教育憲章)은 박정희 정부 시절인 1968년 12월 5일에 발표된 헌장이다. 국민교육헌장이 발표되면서 중식 시간에는 필히 한 번씩 암기하고 밥을 먹었다.

국민교육헌장을 외우지 못하는 학생에겐 일반적으로 선생들의 매질이 더해졌고, 사원이나 공무원의 경우 상사들에게 한 소리 듣거나 징계 조치를 당했으며, 군인의 경우에는 혹독한 기합을 받았다. 당연히 실랑이도 자주 일어났다. 심지어 이 시기에 헌장이 노래로 만들어져 음반으로 판매된 바 있었다. 이렇게 강제 암송이 이뤄졌기 때문에 1970~80년대에 학생 시절을 보낸 중장년 층에서는 지금도 이 전문을 기억하고 있는 사람도 심심치 않게 볼 수 있으며, 내용을 전부 기억하지는 못해도 처음의 "우리는 민족중흥의 역사적 사명을 띠고 이 땅에 태어났다" 정도는 대부분 기억하고 있다. 부모님에게 '국민교육헌장 아세요?' 하고 물어봐보자, 첫 문장 정도는 자동반사로 나오는 모습을 볼 수 있을 것이다.

우리는 민족중흥의 역사적 사명을 띠고 이 땅에 태어났다. 조상의 빛난 얼을 오늘에 되살려, 안으로 자주독립의 자세를 확립하고, 밖으로 인류 공영에 이바지할 때다. 이에, 우리의 나아갈 바를 밝혀 교육의 지표로 삼는다.

성실한 마음과 튼튼한 몸으로, 학문과 기술을 배우고 익히며, 타고난 저마다의 소질을 계발하고, 우리의 처지를 약진의 발판으로 삼아, 창조의 힘과 개척의 정신을 기른다. 공익과 질서를 앞세우며 능률과 실질을 숭상하고, 경애와 신의에 뿌리박은 상부상조의 전통을 이어받아, 명랑하고 따뜻한 협동 정신을 북돋운다. 우리의 창의와 협력을 바탕으로 나라가 발전하며, 나라의 융성이 나의 발전의 근본임을 깨달아, 자유와 권리에 따르는 책임과 의무를 다하며, 스스로 국가 건설에 참여하고 봉사하는 국민정신을 드높인다.

반공 민주 정신에 투철한 애국 애족이 우리의 삶의 길이며, 자유세계의 이상을 실현하는 기반이다. 길이 후손에 물려줄 영광된 통일 조국의 앞날을 내다보며, 신념과 긍지를 지닌 근면한 국민으로서, 민족의 슬기를 모아 줄기찬 노력으로, 새 역사를 창조하자.

1968년 12월 5일 대통령 박정희

　당시 아이들이 이 헌장을 외우는 것에는 왕도가 없었다. 그냥 닥피고 외우는 수밖에, 당연히 암기력 싸움이었다. 하지만 특별히 꽂히는 대목이 있다. 그 대목은 두고두고 써먹었는데, 특히 학벌 위주인 우리나라에서 강조되어야 하는 구절이 있다. '타고난 저마다의 소질을 계발하고' 이 헌장이 나온지 70년이 넘었건만 '타고난 저마다의 소질 계발'은 여전히 아닌 것같다. 죽어라 외운다고 되는 게 아니었다.

　역사 시간도 마찬가지였다. 오래전 죽은 어른들의 출생연도를 외우는 일은 고역이었다. 수학에서는 '과정은 몰라도 돼. 그냥 닥치고 공식 암기하기.' 미술 시간엔 빛의 삼원색을 무작정 외워야 하는 빨, 노, 파 등등. 그러다 보니 공부 시간에 암기문제가 나오면

진저리를 칠 정도였다.

‘국민교육 헌장’은 재미도 없고 감동도 없는 문장이었다. 약간의 세뇌교육과 단순 암기력 향상은 있었던 것 같다. 그렇다면 실도 있었을 터, 단순 암기 휴유증으로 인해 공부 기피 현상이 생긴 것이다.[40]

그 당시 곶감 서리는 몇 사람이 떼를 지어서 몰래 남의 곶감을 훔쳐 먹는 장난이었다.

가을 추수가 끝나고 별로 할 일이 없는 농한기가 되면, 어린 우리들에게는 신나는 일들이 기다리고 있었다. 그 중에서 제일 먼저 하는 것이 서리인데, 곶감 서리부터 시작했다.

감자 서리를 시작으로 먹을 수 있는 것은 송아지를 빼고 다 서리를 한 것처럼 보인다. 닭서리는 말할 것도 없고 토끼 서리, 복숭아 서리, 수박 서리, 참외 서리, 곶감 서리 등등 헤아릴 수 없이 많았다. 밀 서리와 콩 서리는 주로 오후에 하는 데 반하여, 곶감 서리나 닭서리는 밤에 행해진다.

"야 이놈들아! 시방 뭐하는 겨"

감자 꽃이 필 무렵이면 6월이 서서히 게으름을 피우고 해는 지붕위에서 잠깐 쉬어간다. 햇볕에 잔뜩 그을린 감자 꽃은 보라색 향기를 더 짙게 내뿜는다. 보라색 감자 꽃이 온 밭에서 피어나기 시작하면 아이들 마음도 어느새 보랏빛으로 변해간다.

감자 꽃이 피면 아이들의 마음은 벌써 감자밭에서 아름다운 반

---

40) 허윤숙. 달고나와 이발소 그림, 경기: 시간여행, 2022: 40-44.

항을 꿈꾼다. 세월과 추억에 작고 탐스런 꽃무늬를 만드는 삐딱한 행동을 꿈꾸는 것이다. 바로 감자서리다. 감자서리는 허기진 배를 채우는 역할도 하지만 낭만적인 추억을 만들어 주는 놀이축제에 가깝다.

감자 꽃은 보통 보라색과 하얀색을 갖고 있다. 감자의 색깔에 따라 조금 다르다. 감자 색깔이 연한 황토색이면 감자 꽃은 하얀색 꽃잎에 노란 수술을 갖는다. 감자 꽃은 통꽃으로 별 모양을 하고 있다. 도라지꽃과는 달리 꽃대롱이 짧고 보랏빛이 은은하다. 그리고 하나의 꽃대에 서 너 개의 꽃이 핀다.

도라지꽃도 흰색과 보라색이 있지만 도라지 뿌리의 색은 거의 차이가 없다. 그러나 감자는 다르다. 보랏빛 감자 꽃은 보라색 감자다. 흰 감자 꽃 보다는 보랏빛 감자 꽃이 약간 화려하지만 흰 감자 꽃은 박꽃 같은 소박함이 있다. 감자 꽃에 대한 재미있는 동요가 생각이 난다.

실제로 달밤에 감자밭에 핀 감자 꽃을 가만히 들여다보면 이 동요처럼 감자 꽃이 나에게 노래를 불러주는 느낌을 받는다. 일제 시대부터 불리던 동요로 알려져 있지만 어렸을 때는 그냥 재미로 불렀던 기억이 난다. 그러나 항일운동과 연결 지어 생각해 보면 독립운동이나 민족에 대한 많은 이야기들이 나올 법도 하다.

고구마 꽃은 감자 꽃과 약간 비슷하지만 고구마 꽃은 나팔꽃과 비슷하다. 고구마 꽃은 꽃잎이 나팔꽃에 비해 훨씬 작지만 말이다. 나팔꽃은 꽃잎이 모두 보랏빛이고 수술이 있는 부분만 하얀빛을 띤다. 반면에 고구마 꽃은 꽃잎은 하얀색이고 꽃대롱이 있는 안쪽만 보랏빛을 띤다.

이에 비해 감자 꽃은 꽃잎 전체에 연한 보랏빛을 띠고 있어 신비스런 멋이 있다. 그리고 약간 애련하고 쓸쓸한 분위기를 자아낸다. 특히 달빛이 온 세상을 하얗게 밝힐 때면 감자 꽃은 감자밭을 별 밭으로 만들어 숱한 사연들을 품은 듯한 분위기를 만들어 낸다.

유전공학의 발달에 따라 요즈음은 감자색깔도 다양해졌다. 말 그대로 칼라시대다. 그런데 궁금한 것이 있었다. 감자색깔에 따라 감자 꽃이 달라지는지가 말이다. 만약에 감자색깔에 따라 감자 꽃이 달라진다면 빨간 감자 꽃 파란 감자 꽃, 검정 감자 꽃도 볼 수 있을 것 같다. 그래서 농업기술센터에 아는 군대친구가 있어 연락을 해 보니 맞는 말이란다. 감자의 색깔에 따라 감자 꽃의 색깔이 달라질 확률이 높단다. 참 재미있는 세상이다.

감자 꽃은 아이들을 감자밭으로 유혹한다. 감자 꽃이 한 두 개씩 피어나면 아이들은 감자서리에 대한 생각을 너나 할 것 없이 하게 된다. 감자서리에 대한 재미있는 추억거리는 많다. 감자서리는 어느 정도 어른들도 인정해주는 서리다. 특히 감자서리는 은밀하게 할 수 없는 측면이다. 불을 놓아야하기 때문이다. 5월 말이나 6월 중순 경에 산이나 골짜기에서 연기가 뭉게뭉게 피어오르면 십중팔구는 감자서리라고 짐작해도 틀리지 않는다.

감자서리는 대개 6월 초에 집중된다. 모내기 끝나고 일손이 뜸해진 틈을 타 아이들은 주린 배를 채우는 것이다. 감자서리는 감자나무를 상하지 않게 해야 한다. 감자 두렁은 다른 곡식의 두렁에 비해 높다. 그래서 감자나무가 어린아이 허리쯤까지 자라니까 감자를 몰래 캘 때 기어 다니면 잘 드러나지 않는다. 감자를 캘 때는 요령이 필요하다. 잘만 캐면 주인은 서리를 당한 줄도 모른다.

감자는 흙이 몽글어야 예쁜 감자가 된다. 작은 돌이 있거나 흙이 거칠면 감자는 말 그대로 못생긴 감자가 된다. 못생긴 감자는 먹기도 힘들다. 감자껍질을 벗길 때 여간 힘든 것이 아니다. 신경도 많이 쓰인다. 그리고 능숙하지 않은 속살이 다 껍질과 함께 깎여 나가기 때문에 불평이 있게 마련이다. 흙이 부드럽고 몽글기 때문에 감자서리를 할 때 다른 도구가 없이 손으로 흙을 헤치고 감자를 캘 수가 있다.

두렁 아래쪽에서 파고 들어가면서 감자를 캐면, 감자나무가 전혀 흔들리지도 않게 감자를 캘 수 있다. 먹을 만큼 큰 감자만 골라서 캐고 나머지는 그대로 둔다. 한 그루에서 한 두 개의 감자만 캐면 흔적도 거의 남지 않는다. 그리고 작은 감자들은 그대로 두기 때문에 그 감자를 수확할 때가 되면 작은 감자들은 다시 먹을 만하게 크게 된다.

감자밭 주인은 감자서리를 당한 줄도 모르기 때문에 기분이 나쁠 이유도 없다. 그러나 문제는 캔 감자를 삶거나 구울 때가 문제다. 지금도 잊어지지 않는 감자서리가 생각이 난다. 우리가 초등학교 다닐 때는 시골 초등학교에도 아이들이 너무 많아 2부제 수업을 했다. 그래서 학년별로 오전수업과 오후수업으로 나누어 수업을 했다. 오전수업을 할 때는 오후에 시간이 많다. 오후에 해가 3시 방향에 걸려 있을 때 감자서리를 한다. 오후수업을 할 때는 아예 아침에 나올 때 솥단지와 성냥과 소금을 가지와 감자서리를 해서

실컷 감자를 먹고 학교에 가는 것이다.

지금은 일요용 라이터가 있어서 간편하지만 옛날에는 곽성냥 밖에 없었다. 그래서 성냥을 준비하는 것이 제일 큰 문제였다. 성냥을 가지고 다니다 선생님에게 들키면 심하게 혼이 났다. 불조심을 매우 강조하던 때였다. 그리고 성냥이 있으면 불만 있는 것이 아니라 담배도 있을 거라는 선입견을 대부분의 선생님들이 갖고 있었다. 사실 초등학교 때 담배를 피우는 학생도 지금보다는 훨씬 많았다. 초등학교 고학년 중 절반정도 담배 맛을 알고 있었다.

하루는 같은 학년 다섯 명이 의기투합하여 골짜기에 모였다. 사실 의기투합을 할 필요도 없었다. 눈빛만 봐도 서로의 생각을 알 수 있을 정도로 매일 같이 돌아다녔다. 임무가 평소대로 분담이 되는 것이다. 한 아이는 감자를 캐오고 다른 아이는 불을 피울 나뭇가지를 준비하고 한 아이는 솥단지를 큰 돌 두개사이 걸어놓고 기다리고 한 아이는 망을 보는 것이다. 골짜기에서 가까운 밭에서 감자를 몰래 캐 감자를 씻어 솥단지를 걸고 불을 피우기 시작했다. 감자가 익어갈 때 솥단지에서 나오는 냄새는 정말 구수하다.

햇감자는 껍질도 잘 벗겨진다. 솥단지 넣고 몇 번만 부비면 거의 다 벗겨진다. 그런데 감자가 익어갈 때에 갑자기 "야 이놈들아! 시방 뭐하는 겨!" 라는 벼락같은 할아버지 목소리가 골짜기를 울렸다. 감자밭 주인인 할아버지 목소리였다. 평소에도 사납기로 유명한 할아버지였다.

현행범(?)으로 잡히면 여간 곤혹스러운 것이 아니다. 할아버지는 아버지앞에 까지 끌고 가서 온갖 싫은 소리를 아버지에게 해대는 것이 예사였다. 그러나 잡히지 않으면 아무 일이 없었던 것처럼 하루가 지나갔다. 그래서 도망가는 것이 상책이었다. 너나 할 것 없이 정신없이 도망을 쳤다.

그런데 한 아이가 뒤에 끙끙거리는 거였다. 그 뜨거운 솥단지를 들고 도망을 오고 있었다. 물론 솥단지 주인이다. 솥단지를 잃어버리면 집에 가서 부모님에게 혼이 나기 때문에 그 뜨거운 솥단지를 들고 뛰는 것이다. 한편으로는 웃음이 나오고 한편으로 배도 고프고 정말 장난이 아니었다. 그래도 도망가면서 솥단지 뚜껑을 열고 꺼내 먹던 그 감자 맛은 지금도 잊을 수가 없다.

감자서리에서 제일 중요한 것은 솥단지다. 집에서 솥단지를 들고 나오는 것은 대단한 용기가 필요하다. 솥단지가 없으면 차선책이 바로 감자를 구워서 먹는 것이다. 감자를 구워먹을 때는 되도록 큰 감자만을 골라서 감자서리를 해야 한다. 감자는 씻을 필요가 없이 잉걸불 속에 넣으면 된다. 잉걸을 만들 때 연기가 나면 주인에게 들킬 염려가 있기 때문에 조심해야 한다. 그래서 연기는 많이 나지 않고 화력이 좋은 마른 나무를 사용해야 한다. 바로 뽕나무다.

뽕나무는 불에 잘 타고 거의 연기가 나지 않는다. 죽은 뽕나무만 골라다 불을 놓고 잉걸만 남으면 그곳에 감자를 올려놓고 얇은 돌로 이글루처럼 만들고 그 위에 진흙을 덮어 놓는다. 그리고 골짜기에서 가재도 잡고 개구리 잡아서 장난치며 놀다가 보면 감자는 정말 맛있는 군 감자가 되어 있다. 이렇게 구워먹던 감자 맛은 지금도 잊을 없는 진짜 고향의 맛이다.

감자서리는 한해의 서리를 알리는 신호탄이다. 감자서리를 시작

으로 먹을 수 있는 것은 송아지를 빼고 다 서리를 한 것처럼 보인
다. 닭서리는 말할 것도 없고 토끼서리, 복숭아서리 수박서리, 참외
서리, 곶감서리 등등 헤아릴 수 없이 많다. 지금은 생각도 할 수
없는 일들이다. 그러나 그때는 서리는 하나의 낭만이었고 어른이
되어가는 통과의례처럼 여겼다.

감자 꽃으로 감자밭이 별 밭이 되는 올 6월에는 아들 현진이와
함께 아버지 몰래 감자서리나 해야겠다. 아들에게 평생 잊지 못할
추억하나 만들어주어야지![41]

내가 어렸을 때는 흑백텔레비전만 있어도 마을에서 알아주는 부
자였다.

천연색텔레비전의 개발은 흑백텔레비전의 한계성을 인식하고 실
물에 가까운 천연색 화상에 대한 욕구가 대두되면서 시작되었다.
한때 흑백텔레비전으로 세상을 봤지만 이제 달리 대안이 없는 경
우에만 흑백 모니터를 쓴다.

천연색텔레비전에 익숙한 아이는 흑백 영화를 처음 볼 때 어색
해했다.

41) 노태영. 야 이놈들아! 시방 뭐하는 거, 오마이뉴스, 2005. 01. 07.

라. 새마을운동(Saemaul Undong, —運動)

1970년 초의 전국지방장관회의에서 박정희(朴正熙) 대통령은 농민, 관계기관, 지도자간의 협조를 전제로 한 농촌자조노력의 진작방안을 연구하라고 특별지시를 내렸는데, 이것이 새마을운동을 기획, 집행한 역사적 발단이 되었다.

새마을운동은 전국적인 규모로 개별적인 자연촌락을 대상으로 하여 하행·하달된 사업지침에 따라 밀고나가는 것으로부터 출발하였다. 따라서 일사분란하게 전개하여 목표를 비교적 단기간 내에 성취할 수가 있었다. 이와 같은 사실은 적어도 민주국가에서는 보기 드문 일로 놀라움과 부러움으로 국제적 관심거리가 되었다.

보다 구체적으로 보기를 든다면, 주로 내무부 산하의 지방공무원 개개인에게 지역적인 사업추진을 분배하였으며, 이들은 새마을운동의 성취를 서약하는 상징으로 백지사표를 읍면장 또는 군수에게 제출하고 맡은 바 임지로 떠났다. 직업공무원으로서의 신분이 제대로 보장되어 있지 못했던 당시, 일선 공무원은 분배지정 받은 마을에서 지시받은 사업의 전개에 혼신의 노력을 다하게 되었다.

마을주민의 동기를 유발하여 소정의 사업을 실천하도록 하는 변화촉진자로서의 기술, 즉 사업전개기술을 가지지 못한 일선 공무원들은 "행함으로써 배운다."는 말뜻처럼 시행착오도 겪으면서, 놀라울 정도로 마을지도자의 활용 등 이른바 집단동학(集團動學)의 실제를 터득하여 사업전개를 효율적으로 성취하였다. 이는 공무원으로서의 자리를 지키느냐 아니면 잃느냐의 사활을 건 노력의 성과였다.

다른 한편, 정부 당국에서도 뒤늦게나마 관련 분야 대학교수들을 중심으로 한 전문집단을 활용하여 새마을운동의 기획전개를 이론적으로 뒷받침하였다. 따라서 일반 개발사업의 기획전개와는 달리, 권위주의적 또는 행정적으로 목표지향적인 기획과 실천을 우선 명령하달식으로 발의한 뒤에, 이론적·실제적인 뒷받침을 행하고 공무원들을 훈련시키는 접근 방법을 취하였다.

농촌개발을 사업목표로 하고 출발한 새마을운동은 기본사업목표가 농촌지역에서 어느 정도 성취되었다고 평가된 뒤 도시지역, 즉 전국가사회의 개발운동을 기본목표로 삼도록 확대되었다.

애당초 새마을운동으로 출발한 것은 농촌새마을운동과 도시새마을운동으로 크게 범주화되었다. 즉, 총체적인 국민참여적 국가발전운동으로 기본적인 사업목표대상이 확대되었는데, 여전히 중점은 농촌새마을운동으로 여겨졌다.

새마을운동의 기본사업목표대상의 확대는 필연적으로 주요사업의 내용을 내적 및 외적으로 확대시켰다. 초기 새마을운동의 사업내용은 새마을운동사업의 고전적인 상징으로 되어 있다. 1970년 10월부터 1971년 6월까지의 겨울철 농한기를 이용하여 전국의 3만 3,267개 이동(里洞)에 시멘트를 335부대씩 무상으로 지급하여, 이동개발위원회(里洞開發委員會)를 중심으로 각기의 마을의 환경개선사업을 주민협동으로 추진하도록 하였다.

지붕을 볏짚 대신 슬레이트 또는 함석으로 대체 개량하는 사업, 담장 바로잡기 사업, 마을 안길 정비 사업 등이 주된 사업내용이었다. 1972년부터는 주민지도자의 발굴·훈련 및 그 활용에 역점을 두면서 사업내용도 애당초의 환경개선사업, 즉 물리적인 생활 및 영농기반조성사업의 발전적 추진과 함께, 전향적 의식계발사업, 그리고 생산소득사업 등을 포괄하는 종합적인 것으로 확대되었다.

도시새마을운동의 촉진을 위한 10대 구심사업은 소비절약의 실천, 준법질서의 정착, 시민의식의 계발, 새마을청소의 일상화, 시장 새마을운동의 전개, 도시녹화, 뒷골목 정비, 도시환경정비, 생활오물 분리수거, 그리고 도시후진지역의 개발 등이었다. 이는 반상회의 새마을 모체화를 통한 지역적인 사업전개와 직장을 통한 사업전개를 주안으로 확대되었다.

초기의 새마을운동은 '농촌의 사회적 혁명'이라고 규정될 정도로 성과가 매우 컸다. 그것이 우리나라 역사상 유례가 없는 성공을 거둔 기획적 사회변동으로 평가되는 것은 정확하다고 볼 수 있다. 문제는 정부의 강력한 기획·관리아래, 민간 주도 과제의 기본목표 및 사업내용이 전방위적으로 확대되었다는 것이다. 새마을운동을 포함한 모든 사회운동과 국민운동, 또는 기획적인 사회변동계획은 그 전개과정에서 목표(目標) 및 수단치환(手段置換)이 불가피하다.

초기의 농촌을 겨냥한 새마을운동은 개별적인 마을 단위로 기획·전개된 미시적 통합농촌개발계획으로 크나큰 성과를 얻었다고 평가되고 있다.42)43)44)

42) 왕인근. 농촌의 발전, 서울: 서울대학교 출판부, 1995.
43) 고원. 경제와 사회 69, -박정희 정권 시기 농촌 새마을운동과 '근대적 국민 만들기' -, 2006.
44) 김영미. 그들의 새마을운동, 서울: 푸른역사, 2009.

마. 집집마다 울려 퍼진 다듬이 소리

전형적인 농촌 마을인 봉강리(경상북도 상주시 외서면) 집 집마다 안방의 윗목 구석에 놓여 있던 다듬잇돌. 밑에는 방석이 깔려있었다. 위의 덮개는 사용할 때는 열었다. 뒤에는 방망이 네 개가 있었다. 고유 명절인 설이 다가오면 모두가 많이 바빠졌다.

설 명절을 십여 일 앞두고는 다듬이 소리로 온 동네가 시끄러웠다. 설빔으로 어른, 아이들 새 옷을 만들었다. 한복이나 이불호청 등을 빨았다. 빤 옷이나 새로 만든 옷은 풀을 먹이고 말려 접어서 다듬잇돌 위에 놓고 방망이로 두드리면, 구겨진 천이 펴지고 윤이 나고 매끄럽게 되었다.

풀먹인 옷과 옷감을 두드리던 다듬잇돌과 방망이

다듬잇돌 위에 옷을 놓고 양손에 방망이를 잡고 혼자 두드리면 '똑' '딱' '똑' '딱' 하는 소리가 났다. 맞은편에 한 사람이 앉아서 양손에 방망이를 들고 서로 장단을 맞추어 두드리면 '똑''딱' '똑''딱' '똑''딱' 장단을 맞추는 소리가 났다. 두드리는 사람은 흥에 취하여 오후 11시까지 두드려도 팔이 아픈 줄도 몰랐다. 듣는 모든 사람도 시끄럽지 않고 신명이 났다. 다듬이 소리야말로 시골의 정취를 온몸으로 물씬 느낄 수 있는 고향의 소리였다. 일주일에서 십여 일 밤낮 방망이 소리가 났지만 싫어하는 사람은 없었다.

요즘 인기를 얻고 있는 할머니 난타 공연단의 단원은 그때 방망이를 두드리던 어머니들의 흥이고, 난타 소리 역시 원조는 다듬이 소리가 아닐까? 같은 방망이로 두드려도 다듬이 소리는 사람마다 달랐다. 뒷집 아주머니가 두드리는 소리는 약간 둔탁한 소리가 났으나, 옆집 누나가 두드리는 소리는 앙증맞고 감칠맛이 났다. 방망이 소리를 듣고도 누가 두드리는 소리라는 것을 알 수가 있었다.

친구를 좋아하는 처녀들은 다듬이질할 옷감을 보자기에 싸서 친구 집으로 갔다. 다듬이질 하며 정담을 나누다가 배가 고프면 무 배추 뿌리를 깎아 먹었다. 얼음이 둥둥 뜬 동치미를 마시고 허기를 달래며 두드리기도 하였다. 다듬잇방망이도 요령 있게 두드려야 했다. 소리도 정겹고 재미있는 것 같아 시동생이 두드리다가 옷감에 홈집이 생겨 못쓰게 된 일이 있었다.

새로 짠 베 명주 삼베는 굵고 둥근 나무에 감아서 다듬잇돌 위에 놓고 나무를 돌리면서 '똑''딱' '똑''딱' '똑''딱' 방망이

로 두드려 제단하여 옷을 만들었다. 작천 댁에는 돌로 만든 다듬잇
돌 대신 박달나무로 만든 것이 있었다. 나무로 만들었어도 무겁고
단단하여 잘 두드려졌다.

숯불을 위에 담아 옷을 다리던 다리미

쇠 다리미에 숯불을 담아서 맞은편에 앉은 사람과 옷을 잡았다.
물을 한입 물고 옷에 '푸' '푸' 뿜은 후에, 붉은 숯불이 담긴
다리미로 다렸다. 재래식 다리미는 온도가 낮아 옷이나 옷감이 잘
펴지지 않아서 미리 다듬이질을 하였다.

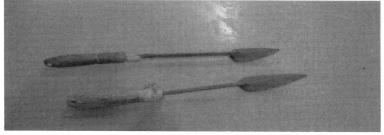

동정을 달고 화롯불에 달구어 동정을 다렸다

세탁한 한복 저고리나 두루마기에는 희고 빳빳한 동정을 달아
한복의 멋을 살렸다. 두꺼운 종이를 사다가 잘라서 천을 붙여 만들
어 사용하였다. 1950년대 후반에는 시장에서 판매하는 동정을 사다

가 바늘로 한땀 한땀 꿰매어 달았다. 바늘 자국을 없애려고 화롯불
에 인두를 꽂았다가 동정을 눌러 다렸다.

겨울에 안방 윗목에 있던 다듬잇돌이 여름이 되면 마루로 나갔
다. 방망이질을 안 할 때는 잠깐 낮잠을 잘 때 목침도 되었다. 다
듬잇돌을 베고 자면 입이 돌아 간다고 아이들은 다듬잇돌을 베고
낮잠을 못 자게 하였다.

1970년대 새마을 운동으로 마을 안길이 넓어지고 초가지붕이 슬
레이트와 시멘트 기와로 개량되었다. 나일론 천과 기성복이 보급되
고 시골에도 전기가 들어오게 되었다. 전기가 공급되자 라디오, 텔
레비전, 전기다리미가 판매되면서 다듬이 소리는 서서히 사라졌
다. 대부분 버려지거나 박물관이나 농경 유물 전시실에 전시되었
다. 이삿짐을 따라온 다듬잇돌과 방망이는 베란다 구석에 앉아서
먼 하늘만 보고 있다. 그때 방망이질 하던 아주머니들은 거의 돌아
가셨고, 구경하던 어린이들이 할머니가 되었다. 설밑에는 그때의
환청이 들린다는 말을 하였다.[45]

대구시 동구 파계로 '대한수목원' 에서 보관하고 있는 다듬잇돌

45) 유병길. 집집마다 울려 퍼진 다듬이 소리, 시니어매일, 2021. 4. 14.

4. 대학시절

우리 부모님 세대는 정말 먹을 것이 없어서 삼시 세끼, 매 끼니를 배곯지 않고 잘 챙겨 먹는 것이 최고의 관심사였기에, 속칭 돈이 되지 않는 학문, 즉 인문학을 등한시 여기고 배제했었는데, 이제 와서 조금 먹고 살만해지고, 배고프지 않고 등이 따신 삶을 살게 되니까 '정말로' 사람답게 살기 위해서 필요한 게 뭔지 다시금 생각해보게 되었기 때문이 아닐까.

누구의 말마따나 사람은 뱃속에 든든해야만 생각이라는 걸 할 수 있는 동물이니까.

미래를 바라볼 수 없는 사람과 사랑할 수 없다. 그래서 난 이 짧은 기간의 연애를 마치려 한다. 연애가 끝난다는 것은 더는 관계를 지속할 수 없다는 뜻이다. 공허함과 아쉬움이 크게 느껴지지는 않는 걸 보니 많이 좋아하지는 않았던 것 같다.

연애를 지속할 수 없는 큰 이유는 신뢰의 부재이다. 연애 기간 동안 단 한 번도 그 사람을 믿은 적이 없다. 누구의 탓이라고 얘기하기엔 어렵다. 어차피 사람 사이 생기는 감정은 상호 간의 교류로 이루어지지 때문이다.

그렇다면 어떤 식으로 이별을 고해야 하는가? 이별할 때 지켜야 할 예의가 있다. '대면'과 '솔직함'이 그것이다. 일요일 즈음이 적당할 것 같다. 위선을 던지고 진심으로 사람을 대하자. 열린 마음으로 그 사람의 말을 받아주자. 그리고, 외로움과 연민에 치우치지 말자. 그래야 성숙한다. 사람이 많은 공간에서 헤어졌다. 이별이다. 이해심의 부족 때문인지, 이해할 수 없는 습관 때문인지는 중요하지 않다. 어차피 이별은 한 쪽의 일방적인 잘못이 아니다. 다만 결정하기가지의 나의 행동이 옳지 못했다. 자책하는 마음이다. 나는 연애의 시작부터 끝까지 어른스러워 보이고 싶은 어린아이였다. 난 철저히 자기방어에만 신경썼다.

반면에 연애 기간 동안 철없이 보이던 그녀는 내 투정 어린 말들을 들어주었고 이해해주었다. 또한 자신이 처했던 상황과 그때 느꼈던 감정들을 어느 하나 놓치지 않고 논리적으로 나에게 전달했다. 어른스러웠다. 같이 있던 시간 철없던 어린아이였던 나는 이별만큼은 어른스럽게 대하려 했다. 내가 저지른 잘못, 어쩌면 닥쳐올 후회와 미련을 담담히 묻어두려 한다.[46]

46) 박영준. 스케치. 경기: 부크크, 2018: 41-44..

가. 외조부모[47]의 죽음

나는 외할머니의 얼굴을 내려다 보았다. 몇 개월 동안 고통을 겪느라 지치고 많이 상했지만 온화한 얼굴이었다. 한때 아름다웠던 외할머니는 섬세한 얼굴 윤곽과 길고 비단처럼 부드러운 눈썹, 보드라운 갈색 머리카락만큼은 앗아가지 못했다.

나는 뭐가 뭔지 전혀 몰랐기 때문에 슬픔은 느껴지지 않았다. 그저 막연하게 불안했을 뿐이다. 외삼춘은 왜 가만히 있을까? 엄마와 이모는 왜 계속 우는 걸까? 나는 내 손을 뻗어 외할머니 뺨에 댓다. 아직도 그때의 차가운 감촉을 느낄 수 있다. 방에 있던 누군가가 흐느끼며 말했다. "다 죽으면 그만이여." 외할머니 얼굴에서 전해지는 차가운 감촉 때문에 무서워졌다. 나는 등을 돌려 애원하듯 어머니의 목에 팔을 둘렀고, 어머니는 내게 고개만 끄덕거렸다. 마음이 편해진 나는 어머니에 끌려 다른 곳으로 가면서 외할머니의 온화하고 평온한 얼굴을 다시 내려다보았다.

"삶이란 무엇인가를 규명하지 않고는 죽음에 대한 완전한 해답은 있을 수 없다"고도 하고, "죽음의 세계란 인간의 경험 영역, 지각 영역을 넘어서는 차원의 문제에 속하기 때문에 그 본체를 파악하기란 불가능하다"고도 한다.

사람들은 죽음에 대한 해석에 특히 자기 식의 독단을 많이 개입시킨다. 각자 자신의 안경을 통해 죽음을 보는 것이다. 죽음에 대

---

47) 조부모(祖父母)는 자손의 관점에서 볼 때에는 자신의 부모의 부모를 일컫는 말로, 남자는 할아버지, 여자는 할머니라 부른다. 한국에서는 할아버지나 할머니라는 부름말을 좀 더 단순히 나이든 사람에 대한 호칭으로 확장하여 쓰기도 한다.

한 통일된 답변을 들을 수 없기 때문이기도 하지만, 죽음이라는 것
이 그만큼 인생에서 중대 문제이고, 누구나 한번은 겪어야 하는 피
할 수 없는 사실이며, 또 그것으로 모든 것이 종말을 맞기 때문이
다.

나. 체력장(體力章)

문교부(현 교육부)는 1971년 10세(국민학교 5학년)에서 17세(고등
학교 3학년)의 전학년을 대상으로 체력검사를 실시하여, 이를 바탕
으로 1972년부터 상급학교에 진학하고자 하는 중·고등학생을 대
상으로 체력장제도를 실시하였다.

1973년 〈문교부령〉에 의거하여 판정급수의 세분화 및 실시종목
의 보강이 이루어졌다. 종목은 처음에 윗몸앞으로굽히기·윗몸일으
키기·왕복달리기·턱걸이·던지기·도움닫기멀리뛰기·100m달리
기·오래달리기(남학생 1,000m, 여학생 800m) 등 8종목이 실시되었
다.

그러나 검사기준치의 불합리성, 검사시설·인원의 부족 등 문제
가 제기되어 1979년 6월 일부종목을 변경하여 100m달리기·제자리
멀리뛰기·던지기·윗몸일으키기·오래달리기·턱걸이(남) 혹은 팔
굽혀매달리기(여) 등 6개 종목을 실시하게 되어 현재에 이르고 있
다.

점수 및 등급 구분은 6개 종목 측정치를 종목별로 20점 만점의
절대기준평가를 실시하고, 6개 종목 전체를 합하여 120점 만점에

80점 이상이 특급, 70~79점이 1급, 60~69점이 2급, 50~59점이 3급, 40~49점이 4급, 39점 이하가 5급 등 6개 등급으로 구분되어 등급별로 점수가 가산된다.

체력장제도의 실시로 인하여 많은 학생들의 체격 및 체력이 향상되었을 뿐만 아니라 기초체력 증강을 위한 기본운동종목이 널리 보급되어 운동을 생활화하는 데 적지 않은 공헌을 하였다. 아울러 건강한 시민을 양성하는 점에 있어서도 기여한 바가 크다.[48]

1994년까지는 체력장이라는 것이 있어서 체육을 소홀히 할 수 없었다. 멀리뛰기, 턱걸이나 오래 매달리기, 100미터 달리기와 오래 달리기, 윗몸일으키기 등 여러 종목에 걸쳐 측정했다. 대입 학력고사의 340점 가운데 20점이나 비중을 차지했기에 필사적으로 시험

---

48) 한국법제연구원. 서울: 문교행정총람, 1982.

에 대비했다. 무리하게 오래달리기를 하던 수험생이 사망한 적도 있다. 만일 지금 다시 체력장을 부활시킨다면 그런 사고가 더 빈번할지 모른다. 예전보다 입시경쟁이 훨씬 치열해졌기 때문이다.

다. 그 시절

만반의 준비를 끝내고 드디어 7월 6일 밤 11시 50분쯤, 도서관에서 향학열을 불태우고 쏟아져 나오는 선량한 학생들을 거슬러 학교로 숨어들었다. 괴괴한 정적만이 감도는 컴컴한 본부석에서 나는 팔을 움직여 쓸 수 있는 최대한의 크기로 또박또박 격물을 써 나갔다.

유신 철폐 / 교련 반대 / 박정희 물러가라

글자의 크기가 1미터가 넘고 격문의 전체 폭이 10미터가 넘는 대형 벽서였다. "치익, 치익" 하는, 페인트 내뿜는 소리가 굉음처럼 들리고 다리는 후들거렸지만 그것도 잠깐, 우리는 점점 간이 커졌다. 페인트 통을 흔들어 보니 아직 한참이나 남은 게 아닌가. 기왕에 시작한 거, 페인트가 바닥 날 때까지 닥치는 대로 써 갈기고 싶은 충동이 와락 생겼지만 후퇴하기로 했다. 그래도 아쉬운 김에 운동장 옆 개구멍으로 나가기 전에 야구장 백네트와 관람석도 두 친구가 각각 큼직한 필적을 남기고 무사히 빠져나와 택시를 탔다. 통금 시간인 밤 12시를 막 넘긴 시간이었다.

다음 날 아침 평소보다 일찍 학교로 가 보니 우리가 쓴 벽서는 커다란 종이에 가려 보이지 않았고 짭새들 대여섯 명만이 그 앞을 지키고 있었다. 이럴 수가! 학생들이 그 앞에 구름 떼처럼 몰려서 웅성거리며 주동자만 나서기를 기다리는 그런 장면을 상상했는데 이런 허무한 일이 있단 말인가!

나는 순간적으로 맥이 탁 풀렸다. 오전 10시쯤 짭새들이 지키는 가운데 페인트공이 밀대 붓을 들고 전지를 한 장 한 장 떼어 내며 글씨들을 쓱쓱 문대 버렸다. 그곳에서 간밤에 어떤 일이 벌어졌는지 알지 못한 채 학생들은 무심히 그 곁을 지나다녔고 흉하게 덧칠한 자국만이 관중석 벽에 남았다.49)

미팅(meeting)은 남녀 학생들이 서로 사귀기 위하여 집단적으로 가지는 모임이다. 미팅에 나온 무리의 대학생들은 짝짓기에 여념이 없다. 우리 대학의 미팅 상대자는 대부분 춘천교육대학교나 강원대학 여학생들과 이루어졌는데, 나는 체육교육학과 대표와 학회장을 한 관계로 대부분 주선하여 성사를 이루었다.

그들은 미팅에서 처음 만나 학교 축제에 서로 초청하여 관계를 지속함으로써 연인 관계로 진전되어 결혼에 이른 사람들도 꽤 여러 명 된다.

49) 이상경. 갈팡질팡하더라도 갈 만큼은 간다, 서울: 양철북, 2011: 278-279.

5. 군대생활

군대(軍隊)는   한 나라나 단체 등의 군사 조직에 속한 사람들의 집단이다. 나는 훈련을 마치고 원주 38사단 신병교육대에서 1년 근무하다가, 간현유격장에서 발생한 '리끼다 소 나무 송충이 사건'으로, 유격(遊擊) 교관으로 차출되어 근무하다 그곳에서 전역했다.

가. 허세에서 고백으로

'월남의 하늘 아래 메아리치는/ 귀신 잡던 그 기백 총칼에 담고/ 붉은 무리 무찔러 자유 지키러/ 삼군에 앞장서서 청룡은 간다.' 베트남전이 한창이던 초등학교 시절, 파병군들을 위한 군가는 유행가처럼 사랑받았다. 맹호·청룡·백마부대는 대한민국의 자랑이었다. 중학교 시절, 베트남전 참전 경험을 들려준 교사가 있었다. 베트콩들에게 한국 군인들이 얼마나 공포의 대상이었는지를 생생하게 전해줄 때 학생들은 귀를 쫑긋 세웠다. 지금도 잊히지 않는 것은 포로들을 학대하고 처형하는 방법이었는데, 너무 잔인해서 여기에 옮길 수가 없다. 선생님은 자기도 그때 어떻게 그렇게 할 수 있었는지 모르겠다면서, 평범한 남자들이 전쟁터에서 광기에 휩쓸리며 살인 기계로 변모해가는 과정을 증언했다.

드라마 〈D.P.〉를 보면서 그 선생님의 이야기가 떠올랐다. 전쟁을 위해 조직된 폐쇄 집단 속에서 인간이 얼마나 쉽게 괴물이 되어버릴 수 있는지를 정밀하게 묘사했기 때문이다. 사실 그것은 새로운 이야기가 아니다. 정도의 차이가 있을 뿐 한국 남자들의 대부분이 몸소 겪은 현실이고, 군복무를 하지 않은 사람들도 지겹도록 접한 내용이다. 그런데 이 드라마는 왜 새삼스러운 반향을 불러일으켰는가. 군대 이야기라면 금방 싫증내는 여성들이 열심히 시청한 까닭은 무엇인가.

똑같은 경험도 어떤 모드로 풀어내느냐에 따라 전혀 다른 내러티브가 된다. 핵심은 성찰이다. 죽도록 고생한 일들을 떠벌리면서 위세를 부리는 이야기는 소음이 되기 쉽다. 하지만 폭력에 길들여지거나 거기에 저항하는 자신을 돌아보면서 내면을 짚어가는 이야기는 선물이 된다. 중학교 선생님이 들려주신 전쟁 체험이 지금까지 여운으로 남는 것은 단순한 무용담이 아니라 극한 상황에서 악마로 변신해간 자신을 객관화했기 때문이다. 〈D.P.〉가 남다른 울림을 주는 것은 인간 실존의 보편적인 지평 위에서 마음이 연결되기 때문이다.

한국 남성들에게 병영의 기억은 어떤 무늬로 저장되어 있는가. 어떤 맥락에서 어떤 언어로 재생되는가. 크고 작은 트라우마의 역사적 뿌리를 더듬으면서, 성년기의 출발점에서 군대 생활을 통해 자아가 형성된 경로를 복기해야 한다. 부당한 명령에 굴종하고 자기 또한 부조리한 권력을 휘두르면서 뒤틀린 인격은 생애 전반에 어둠으로 드리운다. 치유되지 않은 내상(內傷)은 사회적으로 증폭되고 또 다른 가해로 확대 재생산된다. 아동학대, 배우자 구타, 학교폭력, 성희롱, 갑질, 왕따, 직장 내 괴롭힘….

그냥 그래도 되는 줄 알았어. 〈D.P.〉에서 가장 널리 회자되는 대사다. 가혹행위를 일삼아온 황장수가 전역한 후에 자신을 납치하여 총을 겨누면서 왜 그런 짓을 했느냐고 다그치는 피해자에게 겁에 질려 내뱉은 말이다. 솔직한 대답일 수 있지만, 비겁한 변명이기도 하다. 관행에 핑계를 대는 습성이 수많은 비리와 폭력을 낳았다. 일차적인 책임을 자기에게 돌리고 반성할 때 악순환의 고리를 끊을 수 있다. 우리의 일상 곳곳에 스며 있는 폭력의 문화 유전자를 대물림하지 않으려면, 불편한 진실을 마주해야 한다. '라떼는' 류의 과시와 허세를 거두고, 자기 안에 깃든 취약함과 모순을 정직하게 응시하고 받아들이자. 새로운 존재로 나아가는 길은 그 고백에서 시작된다.[50]

나. 늦모내기와 밀수제비

하늘의 빗물만으로 모를 심었던 시절. 계속되는 가뭄으로 비가 오지 않으면 모 대신에 조를 심었다. 7월 중순 이후에 비가 내렸을 때 모가 살아있는 농가는 삿갓을 쓰고, 도롱이를 어깨에 걸치고 비를 맞아 추위에 떨며 모를 심었다. 그때 밀수제비 한 그릇을 서서 먹었는데 맛이 있었던 추억이 뇌리를 스친다.

1950년대 봉강리(경북 상주시 외서면)의 모내기는 6월 상순에 시작하여 하순이면 끝이 났다. 천수답이 많은 '새마' 봄부터 계속된 가뭄으로 7월 중순까지 모를 심지 못하였다. 겨우 20%도 정도

---

50) 김찬호. 허세에서 고백으로 경향신문, 2021. 10. 7.

심었으나, 심은 논의 벼도 물이 말라서 죽어가고 있었다. 못자리의 모를 지키려고 물지게로 물을 운반하여 바가지로 물을 뿌리며 모를 살리려고 노력하였다. 내리쬐는 땡볕에 모는 말라 죽어갔다. 새보 들, 못 밑들에 논이 많은 부잣집은 모내기를 하였으나, 앞 뒷들, 각골, 백갈, 기말기 들에 논이 있는 대부분의 농가는 모내기를 못 하였다.

벌모를 심었을 때

모가 말라 죽은 농가는 먼지가 나는 마른 논에 소로 쓰레질하고, 골을 타고 조를 파종하고 흙을 덮었다. 모내는 시기에 제때 비가 내리지 않으면 2~3년에 한 해는 가뭄으로 모를 못 심어 먹고 살아가기가 힘들었다.

갑이네 집의 농사일은 회갑이 지나신 할아버지가 모든 일을 하셨다. 갑이는 초등학교 때부터 학교에 갔다 오면 소 풀 뜯고, 소먹이는 일은 도맡아 하였다. 중, 고등학교 다닐 땐 모내기, 벼 베기, 탈곡, 보리 파종 등 일요일이면 시험 기간이라도 농사일을 도와 드렸다. 가뭄이 심한 늦모내기 할 때의 일인가 싶다.

갑이네 각골 논은 둑 밑에 조그마한 샘이 있어서 양은 적지만 계속 물이 솟아났다. 찰흙 논이라 이른 봄에 논둑을 바르고 논물을 가두면, 일모작으로 일찍 모내기를 할 수 있는 논이다. 그해는 봄부터 계속된 가뭄으로 논물을 가두지 못하고 샘 앞에 겨우 못자리만 넉넉하게 하였다. 아침저녁으로 샘물을 퍼서 모판에 뿌려 모를 살렸다. 나오는 샘물의 양도 줄어 아침에 한 번 밖에 물을 줄 수가 없어 걱정이었다.

7월 중순에 많은 비가 내리기 시작하였다. 온 식구가 나와서 모를 찌고 논물이 고인 물길 따라 쓰레질을 하는데, 천둥 번개가 치면서 소나기가 내리기 시작하였다. 우린 모가 다 말라 죽어서 아버지와 같이 갑이네 모 심어주고 모가 남으면 얻어오기로 하였다. 1모작으로 일찍 모내기할 때 같으면 내일로 미루겠지만, 지금은 모내기 시기가 너무 늦어 한시라도 빨리 모를 심어야 했다. 갑이네 집뿐만 아니라 모가 있는 집은 억수 같이 쏟아지는 그 비를 맞으며 모내기를 할 수밖에 없었다. 수리 시설이 없는 그때 오직 하늘의 빗물만이 유일한 농업용수였다.

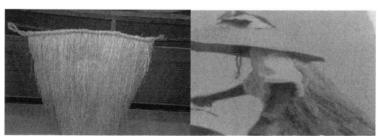

도롱이(도리) 짚으로 엮어 만들어 비오는 날 어깨에 걸쳤다.
삿갓을 쓰고 짚 도롱이를 어깨에 걸친 비 올 때

그땐 비옷이나 비닐 우위가 없었고 비를 가리는 것이라곤, 짚으

로 엮어 만든 도롱이(도리)와 삿갓뿐 이였다. 도롱이(도리)를 어깨
에 걸치고 머리에 삿갓을 쓰면 걸어 다녀도 비를 피할 수 있고, 엎
드려서 모를 심어도 엉덩이까지 덮어 주어 비 맞지 않았다.

도롱이(도리)가 비를 맞으면 물기를 흡수하여 무거워져 무게 때
문에 등이 따뜻해 추위도 잊을 수 있었다. 그러나 그날은 너무나
많은 비가 내려서 삿갓이 새어, 빗물이 머리에서 얼굴로 흘러내리
고, 어깨, 팔에 떨어져 너무 추웠다. 오들오들 떨면서 아픈 허리를
펴며 모를 심었다. 갑이 어머니가 새참으로 감자, 호박을 넣어 얼
큰하게 밀수제비를 끓여 오셨다. 한 숟가락 떠서 고시네(고수레)
소리를 치며 먼저 논에 던졌다.

둑이 젖어 앉을 장소가 없어 따끈한 수제비가 가득한 사발을 들
고 서서 먹는데 어쩌면 그렇게도 맛이 있었는지. 갑이와 눈길을 맞
추고 서로 웃으며 먹었다. 삿갓에서 떨어지는 빗물이 수제비 그릇
에 떨어져 국물을 보탰지만, 뜨거운 수제비를 먹으니 추위도 풀리
고 맛이 있었다. 그때 비를 맞으며 서서 먹은 그 수제비 맛을 잊을
수가 없었다. 모를 절반 정도 심었을 때 점심 광주리가 나왔다. 점
심도 된장국에 밥을 말아서 서서 먹었다. 네 마지기 모를 심어주고
남은 모춤 두 지게를 지고 와서 앞 논 한 마지기에 모를 심은 기
억이 있다. 앞 논은 비만 오면 동네 물이 들어가 조를 심을 수 없
는 논이다.

가을이 되면 아래 윗마을 앞에는 벼 이삭이 고개를 숙여 황금
들판이지만 '새마' 마을 앞에는 조 이삭이 바람에 흔들리는 이
색적인 풍경이었다.

공검저수지가 조성되고 이천리 뒷산에 터널을 뚫어 상주들로 가는 수로가 새보들 기말기 들을 지나면서 앞뒷들 각골들에도 2단, 3단 양수로 제때 모내기를 할 수 있어 살기 좋은 곳이 되었다.

조 이삭

우리는 밀가루를 사다가 가끔 밀수제비를 끓여 먹어 보지만, 배고플 그때 그 맛은 아닌 것 같다고 이구동성으로 말을 하였다.[51]

물리적으로 눈앞에 우뚝 서서 가고자 하는 길을 가로막아 그 뒤에 뭔가를 보지 못하게 만드는 것을 우리는 '벽'이라고 부른다. 추상적인 의미로 지금보다 더 나은 사람이 되거나 더 완벽한 재능을 가진 사람이 되기 직전에 존재하는 시련과 고통을 수반하여 좌절감을 슬럼프라는 말한다. 우리는 그것 또한 '벽'이라고 부른다.

않은 사람들이 그 벽을 깨부숴 허문다거나 멋지게 뛰어넘고 싶어 하지만 포기하고 좌절하는 경우가 허다하다.

인생을 살아가다 마주친 벽 앞에서 다른 사람의 삶을 바라보며 지혜를 얻으려고 하는 것은 어쩌면 어리석은 일인지도 모른다. 벽을 마주한 당신의 등 뒤에 서서, 보다 간절한 마음으로.

---

51) 유병길. 늦모내기와 밀수제비, 시니어매일, 2021. 7. 13.

6. 가정생활

우리는 남자 아니면 여자로서 세상에 태어난다. 일단 남자로 태어나면 평생 남자로서 살아가고, 여자로 태어나면 평생을 여자로서 살아가기 마련이다. 그리고 남자의 삶과 여자의 삶은 적지 않은 면에서 서로 다르나, 아직도 많은 차이점이 남아 있다. 앞으로도 몇 가지 근본적 차이점은 계속 남을 것이다.

남자를 보는 여자의 시선에도 사람에 따라서 개인차가 있겠지만, 여자를 보는 남자의 시선에는 사람에 따라서 차이가 많다. 어떤 남자는 여자를 신비롭고 고귀한 존재로서 우러러보는 반면에 어떤 남자는 여자를 자기네만 못한 사람인양 내려다본다. 같은 남자가 한편으로는 여자를 우러러보면서 다른 한편으로는 내려다보는 경우도 있다. 도대체 여자란 남자에게 무엇이고 남자란 여자에게 무엇인가?

어머니의 인상에 따라서 여성관이 좌우된다는 주장이 있다. 훌륭한 어머니를 가진 사람일수록 여자를 우러러보는 경향이 있다는 의견이다. 이 의견이 옳든 그르던 간에 한 가지 의심의 여지가 없는 사실이 있다. 여자를 신비롭고 고귀한 존재로서 우러러보는 여성관을 가진 남자가 그 반대의 여성관을 가진 남자보다 대체로 행복하다는 사실이다. 여자를 우습게 생각하는 남자는 어머니를 우습게 여기는 아들처럼 불행할 경우가 많다.

어린이 시절의 사나 아이들은 대개 여자에 대해서 꿈을 갖는다.

신비롭고 고귀한 여자의 꿈을 꾸는 것이다. 세상의 모든 여자가 천사 같다고 믿지는 않더라도 더러는 천사에 가까운 여자가 있을 것이라고 믿으며, 그러한 여자와 자신이 각별한 사이가 되는 날의 행복을 꿈꾸며 미래에 희망을 건다. 그러나 소년은 자라면서 여러 여자들과 만나게 되고, 그 만남을 통하여 현실의 여자와 꿈속의 여자 사이에 상당한 거리가 있음을 발견하게 된다. 그러한 발견의 결과로서 대개의 남자들은 여자에 대한 꿈을 버리고 범속한 현실 속에 파묻혀 산다. 그러나 더러는 그 무지개 빛깔의 꿈을 오랫동안 버리지 않고 구원(久遠) 의 여성에 대한 갈구를 계속한다.

옛날에는 남자와 여자가 가까이 지낼 기회가 적었고, 간혹 가까이 만날 기회가 생기더라도 서로 말고 행동을 조심하였다. 그러한 조심에는 자유의 구속이라는 부정적 측면도 있었으나, 예절을 지키고 언행을 삼가함이 품위 있는 인격 형성에 도움을 주었다는 긍정적 측면도 있었다. 이제는 남녀가 함께 어울릴 기회가 빈번하고 기탄없이 말과 행동을 마구하는 세상이 되었다. 임의롭고 자연스럽다는 장점도 있으나, 남녀간의 꿈이 없는 세상이 되기 쉽다는 아쉬움도 크다.[52]

가. 남녀 관계

인간이란 서로가 생존의 협조자인 동시에 서로가 생존의 경쟁자이다. 이 양면성은 남성과 성 사이에도 있는 것이어서, 남성과 여

---

52) 김태길. 가족, 결혼, 남녀, 철학과 현실, 1994: 113-129.

성은 한편으로는 서로 돕고 다른 한편으로는 서로 경쟁하며 살아왔다. 생물의 세계에서 생존을 위한 경쟁은 불가피한 현상이므로 남성과 여성 사이에 경쟁 관계가 생기든 것도 불가피한 현상이라고 보아야 할 것이다. 다만 남성과 여성은 서로가 서로의 도움을 필요로 하는 절대적 상호의존의 관계에 있다는 사실을 염두에 둔다면, 그들 사이의 경쟁은 마땅히 선의(善意)와 공정성의 원칙에 입각해야 마땅할 것이다. 그러나 우리들의 과거는 이 원칙에 입각한 슬기로운 경쟁의 역사가 아니라 양육강식의 생물학적 역학이 지배한 역사에 가까웠다.

인간 사회의 생존 경쟁에서 강자의 위치를 차지한 것은 남성 쪽이었다. 어떤 연유 때문인지는 잘 모르겠으나, 남성은 체력에서 여성을 압도하였고, 체력의 우세는 경제력의 장악으로 이어졌다. 체력과 경제력에서 우위를 차지한 남성은 여성에 대하여 억압을 가할 수 있는 처지에 놓이게 되었으며, 실제로 여성에 대하여 지배자로서 군림한 경우가 많았다. 한때 서양 사회에 '기사도'라는 것이 있기도 했으나, 인류의 과거는 대부분이 남성 위주의 역사였다고 하여도 과언이 아니다. 심한 경우에는 여성에 대한 남성의 횡포가 비인간적인 정도에 이르기도 하였다.

강한 성(性)이 약한 성에 대하여 횡포를 부리는 것은 인간의 경우에만 국한된 현상이 아니다. 사자의 세계에서는 사냥은 암놈이 도맡아 하고 있으나 사냥으로 얻은 먹이에 대한 우선권은 수놈이 일방적으로 행사한다고 들었다. 러셀(Russell)의 목격담에 따르면, 큰부리 까마귀의 경우도, 먹이가 발견되었을 때, 수놈이 포식하고 물러나기 전에는 암놈은 먹이 근처에 얼씬도 하지 못한다. 곤충의 세계에서는 여성이 남성을 지배하는 사례가 많다고 들었으나, 양육 강식의 현상이기는 매양 일반이라 하겠다.

이제 인류는 지배와 피지배의 불평등한 관계에 의해서보다는 사랑과 협동의 관계를 통해서 더욱 좋은 삶을 실현할 수 있는 역사적 단계에 이르렀다. 지난 날 남성들이 여성들을 억압하고 강자로서 군림해 온 것은 삶의 질을 스스로 떨어뜨리는 어리석은 처신으로 볼 수밖에 없다.

'삶의 질'은 주로 정신적 가치 내지 내면적 가치 실현과 불가분의 관계를 가졌다. 사랑과 우정, 자유와 평등 등을 포함한 내면적 가치를 크게 실현하기 위해서는, 남성과 여성과 서로 아끼고 공동의 목표를 위하여 협동하는 일이 절대적으로 요망된다.

나. 남자와 여자

나는 결혼을 하면서 부모님 세대와는 아주 다르리라고 기대했었다. 아마 요즘 세대도 나와는 결혼관이 확연히 다를 것이다. 당시 나는 결혼하면서 결혼이 오래도록 지속되지 않을 수도 있다는 생각을 하지 못했다. 또한 우리 두 사람이 서로에 대해 실제로는 그다지 많은 걸 알지 못한다는 사실을 깊이 인식하지 못했다. 당시 결혼한 나의 친구들은 여전히 결혼 생활을 잘 유지하고 있었으므로 나는 꽤 높은 이혼율 통계를 의심스런 눈으로 바라보기도 했다.

친구들은 내가 모르는 어떤 비밀을 알고 있었던 것일까. 그들은 고개를 저으며 부드러운 목소리로 이렇게 말했다.

"그냥 운이 좋았어."

그들도 결혼한 상대에 대해 실제로 알고 있는 게 거의 없었기 때문이다. 물론 단순히 운이 좋아서가 아니다. 운 그 이상이다.

오늘날 우리가 결혼에 대해 가장 흔히 듣는 말은 '결혼은 위험한 사업'이라는 것이다. 각종 사회 통계자료는 함께 사는 사람보다 홀로 사는 사람을 두드러지게 조명한다. 개인적으로 가장 궁금한 것은 결혼생활의 어떤 면을 보고 배우자를 잘 골랐다고 할 수있을까 하는 점이다. 나는 더 나은 사람을 고른다는 개념보다는 사랑에 대한 갈망과, 다른 사람과 깊은 마음을 주고받고자 하는 강한욕구 때문에 결혼을 선택한다고 생각한다. 그러한 갈망이 사람들로하여금 서약을 하게 하고 운명이 다할 때까지 영원히 함께할 것이라는 희망을 갖게 만든다고 믿는다.

인생에서 이 단계는 상대적으로 선택의 여지가 없다. 마음만 먹으면 취하거나 거부할 수 있는 선택이 가능한 것이다. 그렇다면 성공적인 결혼생활의 핵심은 무엇일까?

미국의 유명한 시인이자 사상가인 웬델베리가 에세이 『약속을 지키는 것(Standing by Words)』에서 한 말은 함께하고자 하는 커플들에게 많은 영향을 끼쳤다.

"그래야 한다고 혼자서 생각하는 것은 쉽게 이루어지지 않을 것이고, 가고 싶다고 혼자서 생각하는 곳도 쉽게 가지지 않을 것이다. 두 사람이 함께하는 것들—결혼, 시간, 인생, 역사 세계—이야말로 진실로 이루어질 것이다. 가야할 길을 모르겠다면 자신의 인

생이 한 방향으로 정렬되도록 노력하라." [53]

다. 인연을 맺다

1979년 1월 3일이 결혼한 날이다. 강릉시 금학동 행복예식장에서. 많은 하객(賀客)들이 참석해 주었다.

신혼여행이 1월 달이라 상당히 추웠다는 기억이 난다. 처음 가본 제주도여서 유난히 좋았다. 따뜻하고 포근한 날씨. 이국적인 풍경. 제주도에 매료됐다.

첫 아이의 출산이 가까워지면서 이사를 결심했다. 상리 고개 중턱 널직한 방 두칸으로 지어진 독채 전세였다. 우리 세 식구가 살기에 딱 좋은 집이었다.

2년 반 동안 그곳에서 생활하다 9월 강릉중학교로 발령이 나서 강릉시 노암동 2층 집을 전세로 입주하게 되었다.

그 후 둘째가 생겼다. 그래서 둘째를 낳을 즈음 조금 더 넓은 주거지로 강릉에서 처음 발주한 입암동 주공아파트를 분양받고 이사를 했다. 돈이 모자라 은행에서 대출을 받고 결혼 후 처음으로 내 집을 마련했다. 1981년 3월이었다. 내 집을 장만하니 꿈만 같았다.

첫째는 강릉도립병원, 둘째는 00병원에서 출산했다.

와이프는 밥도 제때 못 먹고 세수할 시간도 없이 육아와 집안 살림을 하느라 정신없이 20대가 지나갔다. 지금 생각하면 미안할 뿐이다. 하지만 순하고 예쁘게 잘 자라는 오누이들이 힘든 일상을

---

53) 린다 스펜스(Linda Spence). 내 인생의 자서전 쓰는법/황지현 옮김, 서울: 고즈원, 2008: 122.

행복으로 바꿔 주었다.

유치원은 옥천성당 부설 소화유치원에 다녔다.

아이들이 초등학교 3~4학년이 되면서 와이프와 함께 아이들이 좋아하는 음식을 사서 맛있게 먹고 수영과 스케이트도 가르쳐 주었다. 특히 일요일에는 아들 녀석을 데리고 바다 '놀래기' 낚시로 즐거운 시간을 보냈다. 80cc 오토바이(autobicycle)로 온 가족을 데리고 대관령 정상도 여러 번 다녀왔다. 참 위험천만한 행동이었다.

5~6학년 즈음에는 125cc 오토바이를 구입하여 오색, 소금강 등지에서 야영을 하기도 했다.

큰아이는 초등학교 동안 학급에서 1등을 하였으며, 줄곧 반장을 독차지했으며, 관악반에는 대북을 다루었으며, 6학년 때는 전교 어린이회장을 했다. 둘째도 학급에서 늘 1, 2등 성적표를 받아오면서 우리들을 즐겁게 했다.

아이들이 중학교 때는 포니 원(pony one) 자동차를 구입하여 설악산과 속초 해수욕장으로 해마다 여름 휴가를 갔었다. 우리 가족은 어른, 아이 구분 없이 재미있게 물놀이하며 놀았다. 태풍이 불어서 해수욕을 못 하는 날은 파도와 싸우는 멋 있는 바다의 모습을 하염없이 시간 가는 줄 모르고 바라보기도 했었다.

아이들이 중학생일 때 일이다. 겨울 방학이면 늘 용평 스키장에 가곤했다. 대관령을 올라가는 도중 차가 미끄러져 반대편 차선으로 들어가는 것이었다. 급하게 핸들을 꺾어 오른쪽 옹벽에 부딪혀 구사일생으로 위기를 모면한 적이 있었다. 그 때 만약 반대편에서 오는 버스와 충돌했더라면 대형사고가 발생할 수도 있었다.

온 가족이 한마음이 되어 노력한 결과로 우리의 꿈이던 34평을 분양받아 포남동 고려맨션으로 이사하게 되었다. 햇빛이 밝게 비추는 넓은 집에서 가족이 모여 앉아 맛있는 식사를 하니 어느 재벌 부럽지 않고 진정으로 행복했다.

아이들은 대학에 들어가고 이젠 스스로 공부를 하니까 안정된 마음을 갖을 수 있었다. 바쁘게 살다가 어느 정도 마음의 여유가 생기면서 아직은 뭔가 이룩하고 싶은 마음이 생겼다.

고향 참외밭 원두막 옆에 아름드리나무. 새 부부가 집을 짓고 새끼를 낳는다. 이른 아침이면 부지런히 날아가 벌레를 물어다 준다.

속담이 생각난다. '부지런한 새가 벌레를 잡는다'

아내는 항상 명랑한 동시에 그 명랑함을 다른 사람에게 가지 전파했다. 우리가 가난과 빚에 허덕이며 생활했던 10년동안 아내는 항상 나를 절망에서 벗어나 삶의 밝은 면을 볼 수 있도록 해 주었다. 우리의 달라진 환경에 대해서 그녀가 불평하는 소리는 한 번도 들어본 적이 없다. 아이들도 마찬가지였다. 아내가 아이들을 그렇게 가르쳤기 때문에 아이들은 엄마로부터 불굴의 정신을 배웠던 것이다. 아내가 자신이 사랑하는 사람에게 부여하는 사랑은 존경의 형태를 띠었고 그 사랑은 그대로 친척, 친구 등 모든 사람들에 의해 돌아왔다.

결혼으로 그녀와 나의 기질과 성격이 하나로 엮인 것은 참으로 기이한 조합이었다. 아내는 자신의 넘쳐나는 사랑을 감정적 표현으로 쏟아 냈고 사랑스러운 말로 나타냈는데, 이런 풍부한 표현 방법이 내게는 늘 놀라움의 대상이었다. 날 때부터 애정 표현이나 감정

표현이 소극적이었던 나에게 그녀의 표현 방법은 마치 난공불락의 요새에 부딪치는 파도와 같았다. 나는 무엇이든 제제하는 문위기 속에서 성장했다.

아내는 사심 없이 웃을 줄 아는 소녀였다. 그다지 자주 일어나는 일은 아니었지만 웃음이 한번 터지면 마치 움악처럼 듣는 사람을 감동시켰다.[54]

힘든 날이 더 많았다
그래도 우리는 살아왔다
울며 씨뿌리며 다시,
힘내라 시작하는 봄

세상과 나 사이에는 보이지 않는 장막이 드리워져 있다. 사람들이 말하는 것을 받아들이기가 힘들다. 아니 어쩌면 받아들이고 싶지 않은 것인지도 모른다.

당신이 있던 자리, 그곳은 이 세상에 꺼질듯한 구멍으로 남아, 낮에는 그 주변을 거닐다 밤이 되면 그 속에 빠져들고 만다.

한 주가 시작될 때나 하루가 끝나 갈 때가 가장 힘들었다. 내게 아무도 없다는 느낌이었다. 그 누구와도 고요함을 나눌 수 없었고, 그저 지나가는 말조차 주고받을 수 없었다. 화가 난듯한 목소리로 가끔씩 "뭐해, 빨리 와요." 라고 외치던 그 말이 너무나도 듣고 싶

54) 린다 스펜스(Linda Spence). 내 인생의 자서전 쓰는법/황지현 옮김, 서울: 고즈윈, 2008: 131.

었다.

　나는 아직도 이별이 참 불편하다. 더 이상은 당신을 두 눈으로 담을 수 없다는 걸 머리로는 잘 아는데, 보고 싶은 얼굴이 가끔 수면 위로 떠오를 때면 마음이 무언가 짓눌리는 듯한 느낌이 들어 숨이 답답하다.

　숨을 크게 들이마셔 온 몸 구석구석에 시린 겨울 공기를 집어넣어보지만 당신이 지나간 마음은 나를 향한 사랑이 이미 그쳤음에도 불구하고 아직도 채 식지도 않아서 이내 심장의 온도만큼 달궈지는 것만 같다.

　사랑했던 날의 심정, 그날의 심장을 닮아버린 그것의 열기에 여린 마음이 다 타버릴 것만 같아 놀란 마음에 황급히 머금었던 숨을 내던진다.

　입김. 입술 사이로 뭔가 나오긴 했는데, 한 숨 돌린건지, 한 숨 내쉰 건지 도저히 알 도리가 없다. 사실 이렇게 미련을 내비치기엔 우리 너무 멀리 와버렸는지 모르겠다.

　맞닿은 손끝으로 심장이 떨리는 소리가 전해질만큼 가까웠는데, 입술이 닿았다 떨어질 때 찰라를 연원으로 늘려나가는 속도로 눈을 뜨면 그 곳엔 늘 당신이 있었는데.

　팔이 떨어질 정도로 열심히 휘저어 봐도 이젠 당신의 옷깃조차 잡을 수 없고 목이 쉬도록 힘껏 소리를 질러도 여린 입술을 비집고 나온 음성으로는 이제 더 이상 당신의 마음을 두드릴 수가 없나보다.

　당신이라는 상처가 아직 너무 아파서 도저히 상처를 마주보고 소독할 용기가 나지 않아 시간이라는 약만 틈틈이 발랐더니 그게 아물지 않아. 아니 오려 곪아버려서 너무 아픕니다.

아마도 몇 해쯤 지나면, 양지바른 곳에 묵혀 적당한 비와 바람, 그리고 햇살을 가득 머금으며 지낸 당신 그리움의 시체 위에도 말 간 꽃 한 송이가 피어날지도 모르겠다.

그날이 오면, 그제 서야 나도 그 꽃을 담을 미소를 지어낼 수 있 겠지. 당신 없이 계절이 흐르더니, 봄이 오려나 본다. 여기저기 꽃 이 피려는 걸 보면.

라. 잡초와 제초제의 전쟁

못자리에서 피를 뽑고 모내기 후, 호미로 논을 매다가 제초기가 논을 맸다.

1970년대 초반 제초제 '탁크' 사용을 시작으로 초기, 중기, 비선택 성 제초제가 개발되어 힘들게 논을 매는 잡초와 전쟁에서 벗어나 게 하였다.

5월 25일 모내기를 한 벼. 제초제를 체계처리하여 풀 한 포기 없이 깨끗한 논.

1950년~60년대 봉강리(경북 상주시 외서면)에서는 물못자리, 밭못자리, 모심은 논에 나는 잡초를 뽑는 것은 모두 사람의 손으로 하였다. 모을 심은 후 넓은 논에서 풀을 매려면 힘이 들고 품삯도 많이 들기 때문에 노동력과 품삯을 줄이기 위하여 모판에서 두세 번 철저하게 피를 뽑았다.

봉강리에서 손 모내기를 처음 시작하여 끝이 나려면 한 달 정도 걸렸다. 제때 하늘에서 비가 내려주면 일찍 끝이 났지만, 가뭄이 계속될 때는 오래 걸렸다. 일찍 모를 심은 논은 논을 매는 시기를 놓쳐서 피가 많이 나는 일도 있었다. 초벌 논매기는 모낸 후 15~20일경에, 두벌 논매기는 초벌 후 10~15일경에 품앗이로 하였다. 부잣집은 15~20여 명이 보통 농가는 5~10명이 옆으로 늘어서서 앞으로 나가며 호미로 풀을 뽑았다. 두벌 논매기 때는 벼잎에 눈이 찔리는 사고도 있었다. 아이들이 물놀이할 때 쓰는 수경을 쓰기도 하였다. 호미로 논을 매면서 북을 치면서 "우 후후" 선창을 하면 모두가 "우 후후" 흥겹게 소리치던 소리가 지금도 은은히 들리는 것 같다.

호미로 논매기를 할 때

논매기 노래로 즐겨 부르든 상주 민요인 '공갈 못의 노래' 다

"상-주 함-창 공갈- 못 -에 연밥-- 따-는 저 처-녀 야, 연밥-- 줄-밥- 내 따-줄--께 이내--품-에 잠자-주 소, 잠 자--기-는-- 어렵-잖--소- 연밥--따-기 늘어-가 요"

배가 고픈 아이들은 아버지, 할아버지가 논매려고 간 집 앞에 서성이었다. 주인아주머니가 머리에 이고 가는 점심밥 광주리를 따라나섰다. 그때 얻어먹는 밥 한 그릇, 노릇노릇 구운 고등어 한 토막을 받으면 뼈 채로 씹어 먹었던 그 맛, 정말 행복했었다. 집 집마다 논매기하는 날은 고등어를 사다가 구워서 주는 일이 관례같이 되었다.

점심 먹을 때 막걸리 몇 잔, 오후 참으로 몇 잔을 마시고 나면 술 취한 사람은 노래를 부르며 그냥 따라가는 일꾼들도 있었다.

점심 광주리를 이고 논을 매는 들에 가고 있다

60년대 줄 모내기가 시작되면서 논을 매는 기계가 보급되었다. 놀 골에 기계를 놓고 손잡이를 잡고 앞으로 죽~죽~ 밀고 나가면, 바람개비 같은 쇠바퀴가 흙을 파면서 풀까지 뽑아 주었다. 호미로 풀을 뽑을 때보다는 허리도 아프지 않고 쉬웠다. 벼 포기 옆의 피

는 뽑을 수가 없었다. 벼 이삭이 팰 때 피가 많은 논은 다래끼를 매고 논에 다니면서 피 이삭을 뽑아야 했다.

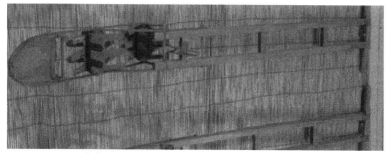

벼와 벼 사이 놀골에 놓고 앞으로 밀면서 논매기를 하던 제초기

60년대 후반에 논 제초제 '탁크'(광고지: 풀매기여 안녕!)가 생산되어 70년대 초에 사용하게 되었다. 300평에 3kg짜리 한 봉을 뿌려 효과가 있을까 믿지 않았다. 상주 농고를 졸업하고 많은 농사를 짓고 있던 정준광 씨가 봉강리에서 처음 2봉을 600평에 뿌렸다. 처음 논에 뿌리니 부서진 국수가 물속에 떨어진 것 같이 희게 보였다. 하루가 지나자 녹아서 없어졌다. 논물이 서서히 줄어들면 논바닥 표면에 제초제막이 생긴단다. 피 등 잡초가 막을 뚫고 올라와도 광합성 작용을 못하여 죽는단다. 피 등 일년생 잡초에는 효과가 있었다. 그러나 올방개 가래 등 여러해살이 잡초는 효과가 없고, 논물이 잘 빠지는 모래 논에도 효과가 없었다. 피에 효과가 있는 것을 눈으로 확인한 사람들부터 '탁크'를 사용하기 시작하였다.(품절된 상품.)

후반에는 논밭 겸용인 마세트 입제, 유제가 공급되면서 제초제에 의한 잡초 방제가 시작되었다. 몇 년 후 다년생 잡초를 죽이는 중기 제초제, 모든 식물을 전멸시킬 수 있는 비선택성 제초제까지 공급되었다. 못자리에, 모심은 논에는 전용 제초제를, 논두렁에는 비선택성 제초제(모든 잡초 농작물을 죽이는 제초제)를 뿌려 노동력을 절감하고 잡초 방제에 큰 효과가 있었다. 경운기, 트랙터 등 농기계회사의 성장에 이어 살충 살균제, 제초제를 생산하는 농약 회사도 성장하면서 노동력이 줄어든 쉬운 농사를 짓게 되었다.

요즘은 초기 제초제(일년생 잡초를 죽이는 약)를 트랙터로 써레질할 때 뿌린다. 모를 심고 15~20일 후에 중기 제초제(다년생 잡초를 죽이는 약)를 뿌리는 체계처리를 한다. 잡초의 종류에 알맞은 제초제 선택이 방제 효과 높이는데 중요하다. 손으로 논매는 모습을 볼 수가 없다. 간혹 제초제를 뿌리는 시기를 놓쳐 잡초가 많이 났을 때는 2.4-D를 모래에 묻혀 이삭패기 35~45일 전까지 뿌려서 방제를 하고 있다.

모든 것은 양면성이 있어 효과가 좋은 제초제도 잘못 사용하면 한 해 농사를 망치는 사례도 많았다. 비선택성 제초제인 그라목손을 뿌린 분무기를 씻지 않고 묘판에 살충제 뿌렸는데 남은 제초제가 묘를 죽었다. 비선택성 제초제를 전착제(농약이 작물에 잘 붙어 효과를 발휘하도록 살포액에 썩어서 쓰는 약제)로 오인하여 물 한 말당 조금씩 넣어 한창 이삭이 패는 시기에 목도열병 약을 뿌리다 벼를 다 죽이는 피해가 있었다. 제초제는 잡초를 죽이는 효과가 있는 만큼 벼도 7~10여 일 자라지 못하는 몸살을 겪는다. 적기에 풀의 종류에 맞는 적정 제초제를 사용하여 쉬운 농사를 짓도록 하여야 겠다.[55]

7. 교직생활

참 아이러니(irony; 예상 밖의 결과가 빚은 모순이나 부조화. 모순된 점이 있다)하게도 내가 스스로 나이 들었음을 인지하게 되는 경우는 "엄마 백 원만~" 하던 내가 군에 입대하여 정신없이 생활할 때도, 어린 시절 "이쁘다"고 동안(童顔) 소리를 지겹도록 듣고 살던 내가 슬슬 술집에 출입할 때 주민등록증 검사가 필요 없어지는 때도 아닌, 내 친구들 사이에서 우상처럼 떠받들어지던 그녀의 사진에서 세월의 흔적을 발견하게 되는 날이었다.

그러나 나이가 든다는 것이 꼭 나쁜 것만은 아니었다. 순식간에 대학을 졸업하고, 훤칠한 남자 친구를 사귀더니 금방 시집을 가버린 그녀는 어느새 그녀의 눈을 쏙 닮은 아이의 엄마가 되었다.

동창 녀석들과 술잔을 기울일 때면 좋든 싫든 어김없이 안부를 알게 되곤 했던 그녀, 비록 학창 시절 그때처럼 모두의 사랑을 받고 있지는 않지만 그래도 오롯이 자신만을 사랑해 주는 단 한 사람으로부터 사랑을 받고 있으니, 그녀는 아마 행복할거다.

군대를 제대하고 복학을 하고 졸업과 동시에 발령을 받았다. 고성군 고성중·고등학교. 월급은 180,000원이었다. 하숙비는 60,000원이었다. 3월이라 고성군 간성읍의 날씨는 만만하지 않았다. 이른 아침 잔뜩 낀 안개 속에서 추위를 떨고, 한낮에는 내리쬐는 운동장 햇볕에, 밤이 오면 다시 한번 추위와 떨며 일을 해서 받은 돈. 그

---

55) 유병길. 잡초와 제초제의 전쟁, 시니어매일, 2021. 7. 5.

돈은 내 인생에서 가장 보람과 기대 속에서 받은 돈인 셈이다.

그땐 오직 열심히 복무하여 보람을 갖는 생각밖에 없었다.

"벼는 익을수록 고개를 숙인다지만 사람은 더 잘난만큼 고개를 쳐들어도 된다고 생각하고 또 그렇게 해야만 생각한다. 사람은 벼가 아니니까." 어떻게 보면 참 오만하다는 생각이 들 법도 한 이 말은 결국 재능이 가득 차 인성이라는 그릇 밖으로 넘쳐흐르지 않도록 하라는 뜻으로 보인다. 그런데 이 세상은 대체 어떻게 돌아가려는지 고개만 숙이면 다 익은 줄 알고 목을 베어가곤 한다.

봄이면 피는 군자란, 튜립꽃. 여름에 피는 수국. 내 마음의 화단에는 계절마다 갖가지 꽃이 핀다. 마음이 울적할 때 꽃을 그리면 내 마음에도 꽃이 핀다.

성장을 멈추고 나면 우리는 노화를 겪게 된다. 인정하고 싶지 않겠지만 몸의 움직임이나 이해력 따위가 조금씩 둔해지는 것은 어쩔 수 없다. 결코 유쾌할 리 없는 기분이다. 하지만 난 아직 젊고 또 절대로 늙지 않을 테니 나이를 먹고 늙어간다는 것을 알 필요가 있을까? 우리는 이런 착각 덕분에 어느 순간 느끼게 되는 노화의 징후에 큰 충격을 받고 실의에 빠지게 된다. 그렇다면 노화란 무엇인가? 사전에서 노화에 대한 정의를 찾아보면, 나이가 들면서 일어나는 변화 현상. 다시 말해 나이가 들면 누구나 노화를 겪게 된다는 것인데, 노화에는 신체 능력의 저하가 동반된다. 사람마다 그 변화하는 정도는 다르지만 80세 기준으로 청각(30%), 혈액 방출량(45%), 폐활량(50~60%), 후각, 악력(握力) 등은 70%로 떨어진다고 한다. 또한 노화는 여러 장기의 중량감소도 수반하는데, 간과 뇌의 크기 또한 줄어든다.

김희재 작가의 저서『나이 듦에 대한 변명』에서 덤덤하고 당당하게 말한다 "시력을 잃는 만큼 시야가 넓어졌고 청력을 잃은 만큼 귀 기울려 듣게 되고 느리게 걸어야 하므로 뒤처진 아이를 보게 됩니다." 라며 늙어가는 것의 자연스러움 그리고 그 자연스러움을 받아들이는 여유로운 자세를 강조한다.[56]

가. 이상한 나라의 이상한 학교

미국의 텔레비전 프로그램 가운데 "믿거나 말거나" 라는 것이 있다. 이 프로그램에는 우리의 일상생활이나 주변에서 흔히 볼 수 있는 일은 방영하지 않는다. 구렁이와 방안에서 함께 음식을 먹으며 살아가는 사람이나, 거의 매일같이 수십 개의 못을 먹는 사람 등 상식적으로는 도저히 있을 수도 없고, 상상하기도 어려운 일들을 소개해 준다. 그래서 이것을 보고 나면, 세상에는 별의별 이상

---

56) 강형란. 삶, 행복 그리고 사랑, 서울: 부크크, 2022: 106-107.

한 일도 다 있구나 하는 낌을 저버릴 수 없다.

바로 그 프로그램에 우리나라의 고등학교 학생들의 학교생활 모습이 방영되었다. 그 시기는 겨울, 서울 시내 어느 고등학교에 학생들이 아침에 등교하는 장면이 소개된다. 아침 7시경, 겨울이라서 아직 어두운 시각에 학생들이 무거운 책가방을 두어 개씩 가지고 학교에 온다. 이후 좁은 교실에 60여 명이 칠판을 앞에 두고, 하루 종일 같은 형태로 수업을 받는 장면이 비춰진다. "지금은 밤 10시, 하늘에는 별이 총총하다." 해설가의 말이 계속된다. "그러나 이 학생들이 모두 다 곧바로 집으로 가는 것은 아니다. 학교에서 이들은 책을 읽을 수 있도록만 되어 있는 독서실(미국에는 학교에 도서실이라는 곳이 없으므로 설명이 필요하다)에 가거나, 학교에 남아서 공부를 한다. 그 공부는 12시나 1시까지 지속된다. 이러한 일은 비단 이 학교만이 아니라, 한국의 거의 모든 인문계 고등학교에서 흔히 볼 수 있는 일이다." 끝으로 이 프로그램에 반드시 첨부되는 말이 뒤 따른다. "믿거나, 말거나!"

우리에게는 그토록 당연한, 지극히 일상적인 고등학교 학생들의 생활 모습이 미국인들의 눈에는 매우 이상한, 매우 희한한, 마치 구렁이와 함께 살아가는 사람들의 모습과도 같이, 도저히 있을 법하지 않은 일들로 보여진 이유는 무엇일까? 그들이 문화 상대주의적인 입장에서 상황을 객관적으로 보려고 노력하지 않고, 자문화중심적인 시각에서 우리의 학교문화를 편견을 가지고 보았기 때문에 이상하게 보인 것일까? 만약 그렇지 않고 정말 이상하게 볼 수밖에 없는 이유가 있다면, 그것은 무엇일까?

　우리가 이 프로그램을 제작 방영한 미국인 기자에게 직접 그 이유를 물어 볼 수 없으므로 단지 우리의 상상력을 동원하여 짐작해 볼 수밖에 없다. 아마도 그 기자는 사람들이 어떤 것이 정상적인 교육이라고 제시할 수는 없다 해도, 적어도 문화를 초월하여 교육은 적어도 이러한 활동이겠거니 혹은 이러해야 하는 것이 아닌가 하는 기준은 공유하고 있다고 했을 것이다. 예를 들면, 교육이란 사람을 사람답게 가꿔가는 데 필요한 활동이라는 사실 등일 것이다. 이러한 기준에 비춰볼 때, 미국인 기자의 눈에는 저와 같은 교육이 인간을 인간답게 기르는 데 필요한 것인가? 저런 식의 교육은 아무리 생각해 봐도 인간들을 망가뜨리게 될 것 같은데, 저 사람들은 교육을 통해 사람을 망치려고 하는 것일까? 아니면 왜 이러한 교육을 하는 것일까? 생각에 생각을 거듭해 봐도 도저히 이해가 안되었을 것이다. 나이가 있는 자신뿐 아니라 거의 모든 미국인, 아니 세계의 많은 시민들도 마찬가지로 느낄 것이라는 생각을 했을 것이다. 여기에 제작진과 편집인 또한 동의했으므로 이 프로그램이 방영될 수 있었을 것이다.

　이러한 사태에 대하여 중요한 것은 우리의 생각과 의식이다. 만일 우리가 그것이 무어 이상한 것이고, 그런 것을 그 프로그램에 내보내는 기자를 오히려 이해할 수 없다고 불평하는 데서 그친다면, 우리의 학교교육은 언제까지나 이 모습을 지닌 채 변화되지 않을 것이다. 과거에도 그랬고, 현재도 그렇고 그것이 약간의 문제는 되지만, 그다지 심각한 것도 아니고, 또한 설혹 그렇다고 하더라도 별 뾰족한 수사 있겠느냐고만 생각한다면 더욱 그러하다. 더욱 나쁜 것은 그런 것은 어떻든 나는 관심없다는 태도와 생각이다.

사회개선과 발전의 일차적인 적은 체념이다. 더 무서운 적은 무관심이다. 이보다 더 무서운 것은 문제를 문제로서 인식하지 못하는 것이다. 이러한 태도와 생각을 저버리지 않는 한, 한국의 학교 교육은 앞으로도 이와 같은 모습을 계속해서 간직할 것이며, 그들 기자의 눈에는 계속해서 이상하고, 희한하고, 도저히 이해할 수 없는 일로 비춰질 것이다.[57)

나. 교육의 국제 경쟁력 강화와 경쟁논리

"왜 태어났니, 왜 태어났니, 공부는 못하는 게 왜 태어났니." 이러한 노래를 아무렇지도 않게 부르는 아이들, 그들은 존재에 대한 기쁨보다 혐오를 더 일찍 배워버린 아이들이다.

꿈과 상상력이 자리잡고 있어야 할 가슴이 온통 모래밭과 같이 되어버린 아이들과 아이들을 그렇게 만들어가는 어른들이 어우러져 있는 오늘 우리의 사회는 그 자체가 하나의 거대한 모래밭과 같다. 아직도 2부제 수업을 하고 있는 국민학교가 있는가 하면, 결식 아동들이 존재하고, 몇십 년된 낡은 교사, 미적 차원은 전혀 고려되어 있지 않은 무색의 스산한 환경, 그림 하나 걸려있지 않은 복도, 쉴 곳이 전혀 없는 공간, '실력 있는 어린이가 됩시다'는 커다란 현판만이 괴물처럼 숨쉬고 있는 듯한 곳이 오늘 우리나라의 초등학교 교육이 있는 현실적 공간이다.

---

57) 정진권. 이상한 나라의 이상한 학교, 철학과 현실, 1994: 270-271.

국민학생들은 스스로를 대변할 수 없는 아이들이기에 이들이 어떻게 취급받고, 어떠한 느낌과 생각을 갖고 학교생활을 하는지 어른인 우리로서는 잘 알 수가 없다. 오늘날 교육개혁이 논의되고 있는 시점에서 주로 입시제도와 대학의 국제 경쟁력 강화, 엘리트 양성이 논의의 중심에 자리집고 있는 것도 모든 것을 어른들 관점에서, 어른들의 살아남기 전략의 관점에서 바라본 결과이다.

우리나라의 동화를 살펴보면 옛것이건 현대의 것이건 간에 권선징악적인 것들이 대부분이다. 거기에 그려진 세계는 대개 어른들 현실 세계의 축소판이고, 통용되는 논리 또한 현실 논리와 크게 다르지 않다. 도덕적 교훈 자체가 갖는 통속성이나 식상함보다는, 그것이 옳고 그름에 관한 분별력을 키워주는 좋은 방법이 아니라는 데 문제가 있다. 교장선생님의 훈시와, 숱하게 많은 선생님들로부터 좋은 말씀들을 들어왔지만, 머릿속에 하나도 남아있지 않은 이유는 무엇일까? 아무리 동화라는 형식을 빌어 이야기한다 해도 그것이 어른의 목소리로, 어른들도 지키지 않는 도덕적 가치를 이야기하고 있는 것이라면 그것은 아이들에게는 그저 그런 소리, 너무나 지당하고 옳은 소리라 더 이상 생각해볼 여지도 없는 소리에 불과하게 된다. 그 가치가 현실 안에서 구체화되는 경험을 해보지 못하고, 더 나아가 그것이 공공연히 부정되고 있는 현실을 가정이나 사회에서 경험하는 경우 아이들은 당연히 냉소적이 될 것이고, 그 어떤 진리를 가르쳐 준다 해도 믿으려 들지 않을 것이다.

아이들이 참으로 필요로 하는 것은 분별력을 스스로 키워낼 수 있는 비옥한 토양이다. 그리고 이 토양은 단순 도덕명제를 주입시킴으로써는 얻어질 수 없는 바의 것이다. 초가집이 들어있는 시골 풍경을 그린 그림을 놓고 '이에 대한 느낌으로 맞는 답을 고르시오' 라는 문제와 그 답을 '고요하고 평화롭다' 인 식으로, 아이들의 느낌마저 강요되어서는 얻어질 수가 없는 것이다. 왜 옳은지도 모르고 옳은 답을 배운 대로 고른 아이는 주어진 문제와 조금만 다른 상황이 제시되어도 어찌해야 좋을지 모르게 될 것이다. 인간 삶의 문제에 있어서는 선택한 사항 자체가 주요한 것이 아니라 선택에 이르는 과정과 숙고가 배려되고 존중되어야 한다.

오늘날 우리 사회에 만연된 통일된 삶의 양식들과 가치관은 모범답, 맞는 답을 찾아 헤맨 결과일 것이다. 예컨대 결혼의 조건은 어떠어떠해야 하고, 행복한 삶은 몇 평짜리 아파트에서 시작된다는 식의 도식화와 정형화는 우리에게서 각자의 삶으로부터 얻을 수 있는 참된 생명력과 창조적 원동력을 앗아가고 있다. 삶의 각 자리자리마다에서 내놓는 답이 정답일 수 있는 가능성, 아니 사는 것은 답을 맞추는 일이 아니라는 생각이 우리 사회의 모습을 훨씬 덜 적대적으로 만들 것이다.

국가 경쟁력 제고의 일환으로 논의되고 있는 오늘의 교육개혁에 대한 생각들은 주로 기능적이고 행정적인 차원에 집중되어 있다. 대학입시제도에 대한 방안이라든지, 초등학교 영어교육, 월반제 도입, 영재교육에 관한 방안들은 기능성, 전문성의 강화라는 대체적 목적으로 수렴되고 있다. 어린 똑똑이들을 키워내는 데로 집중되어 있는 것이다. 그러나 국가 경쟁력 강화가 보다 심화된 경쟁 체제를 일반화시킴으로써 이루어지는 것일까?

　　경쟁이란 기본적으로 소수를 위해 다수를 배제시키는 과정이다. 경쟁 상황에서는 특정한 기준들이 설정되게 마련이고, 경쟁에서 살아남은 소수들은 그 기준을 잘 만족시킨 사람들이다. 그러나 역사적 조건의 변화와 함께 그 기준이 바뀌게 되면 그 소수들은 소수정예로서의 의미를 상실해 버리고 만다. 뿐만 아니라 그들은 변화에 적응할 수 있는 융통성이나 새로운 기준을 스스로 세울 수 있는 파격성이나 과감성을 결여하고 있기가 십상이다. 그들이 못나서가 아니라, 그들의 능력을 기능적이고 전문적인 재주로만 경화시켰기 때문이다. 그들에게는 언제나 정답이 있어 왔고 만족시켜야 할 구체적 기준이 있어 왔기에 그것을 벗어날 수 있는 가능성, 기준 자체를 거부할 수 있는 가능성은 상상하기 힘든 일일 것이다.

　　그렇다면 경쟁에서 배제되었던 다수들은 어떠한가? 그들은 낙오자라는 패배감과 자책과 냉소에서 벗어나지 못할 것이고, 자신은 어떻든 1등보다 잘 할 수 있는 일이 없을 것이라고 지레 스스로의 가능성을 포기해버리기 말기 때문에, 설사 기준이 바뀌어 능력을 발휘해 볼 수 있는 기회가 생긴다 해도 지나쳐버리고 만다.

　　교육에 있어 경쟁 체제를 심화시키는 것은 교육개혁이 지양해야 할 바이지 결코 지향할 바는 아니다. 그것은 국가적으로 볼 때 엄청난 인간 에너지의 손실이다. 인간 개개인에 내재된 잠재력을 개발시키기보다 오히려 그것을 파괴함으로써 인간 자원을 고갈시키기 때문이다. 매년 신문에 보도되는 학과 커트라인은 2위 이하의 모든 사람들로 하여금 매년 자신의 위치를 확인케 하고 스스로의 열등한 능력을 깨닫게 하며, 1위를 차지한 사람들이나 점수에 있어 상대적 우위를 접한 사람들은 무모한 자만으로 하여 국가 발전의 차원에서 아무 도움도 되지 않는 상호간 적재심만 유발시킨다. 우리의 대학 입시 상황은 물론 경쟁이 초래시키는 상황이 단순화되고 국화되어 나타나는 순간이기는 하지만, 경쟁의 생리란 원칙에 있어 다를 바가 없다.

경쟁 논리가 효과적으로 작동할 수 있는 곳은 아마 대학 교육 이후의 사회에서 일 것이다. 이 때에 경쟁의 단위를 어떻게 정할 것인가(예컨대 개인간의 경쟁을 유도할 것인가, 아니면 소집단간, 혹은 대집단간의 경쟁을 유도할 것인가), 기준의 설정이나 경쟁 대상들에 대한 평가를 어떻게 합리화시킬 것인가, 우열의 상황에서 발생하는 갈등과 긴장을 어떻게 에너지로 전환시킬 것인가에 관한 제반 사항들이 철저히 고려되어야 하며, 무엇보다도 다양한 종류의 패자부활전이 가능해야 한다. 기업내에서 경쟁논리의 일반화가 언제나 생산성 논리로 이어지는 것이 아니고 설사 단기적으로 쥐어짜기 결과로서 어떤 이득을 얻어낸다 해도 경쟁자들이나 집단들간의 갈등, 낙오 집단의 반발 등이 오히려 일이 안되게끔 적극적으로 역할할 수 있는 것이다. 장유유서(長幼有序)의 전통이 뿌리 깊은 우리의 문화에서 미국식 업적주의의 무조건적 도입은 여타 문화 부문과의 불균형 속에서 그 제도 안의 개인들은 심한 갈등을 겪게 될 것이고, 업적의 질을 평가할 수 있는 공정하고 권위 있는 주변 장치들이 미비한 상황에서 표면적 실적 위주로 흐를 위험을 다분히 안고 있다. 우리 문화의 특성에 맞추어 다양한 사람들의 다양한 능력과 잠재력을 극대화시킬 수 있는 고유의 방안이 모색되어야 이러한 문제를 극복할 수 있을 것이다.

　이윤의 극대화라는 가시적으로 객관화시킬 수 있는 목표를 갖는 기업과는 또 다르게 교육에 있어서도 도달해야 하는 가시적 목표는 없다. 몇 점짜리 학생들이 되어야 교육이 성공했다고는 말할 수 없는 것이기 때문이다. 각 학생들이 건강한 상식을 갖춘 하나의 사회 성원으로, 성숙한 시민으로 자랄 수 있도록 기능하면 되는 것이다. 교육이라는 장은 그 안에서 다양한 능력들이 배양될 수 있고 어떤 나무도 잘 커나갈 수 있는 자양분이 풍부한 땅이 되어야 한다. 어떤 특정한 수종만을 키워내는 장이 된다면, 그것이 안게 될 위험 부담은 다시 회복될 수 없을 정도의 엄청난 것이다. 길러낸 수종이 적절한 것이 못되었을 때, 그 결과는 무참한 것이 된다. 교육 부문에서의 국가 경쟁력의 강화는 오히려 교육현장에 만연되어 있는 첨예한 경쟁 논리, 남녀 차별의 논리를 철폐시키는 일이다. 국가로서는 어떤 특정 집단만을 선호하고 다른 여타의 집단을 좌절시킴으로써 그들이 가진 잠재력을 사장시킬 아무런 이유가 없다. 통상 우둔하다고 여겨지는 집단에게서도 그들이 가진 것, 그들에게서 기대된 것 이상의 것을 언어낼 수 있다면 국가로서는 더할나위 없는 일일 것이다. 획일화된 잣대를 들이대고 특정 능력에 대한 경쟁을 유발함으로써 열등한 인간을 양산해내는 체제는 국가 경쟁력을 오히려 저하시킬 것이다. 획일화된 잣대를 들이대고 특정 능력에 대한 경쟁을 유발함으로써 열등한 인간을 양산해 체제는 국가 경쟁력을 저하시킬 것이다. 여러 층위의 능력 집단들이 나름대로 만개할 수 있도록 다양한 동기 유발 체제가 갖추어질 때 오히려 그것은 강화될 것이다.

이러한 관점에서 볼 때 예컨대 국·영·수 중심의 대학 본고사 실시는 획일화된 기준에 의한 대학간 경쟁과 이기주의의 소산일 뿐 학생 능력의 향상이나 교육의 질적 향상과는 거리가 먼 이야기다. 어떤 수준 이상에서 부다 가는 체로 거르는 작업은 그 가는 체에 걸리는 소수를 뽑기 위한 절차적 장치일 뿐, 그것이 경쟁자들의 질을 높이는 데 기여하는 바는 없는 것이다. 국가적 견지에서 보자면 학생들 전체 풀(pool)은 동일한 것이며 본고사라는 장치를 통해 전혀 새로운 학생들이 생겨나는 것이 아닐진대, 본고사에 드는 사회적 비용과 쓸데없이 과도한 경쟁에 지불해야 하는 상대적 열등 인간의 양산이라는 대가를 고려한다면 본고사를 실시해야 할 이유는 없게 된다.

일정 능력의 대학이 일정 능력을 학생들을 대상으로 어떻게 교육하느냐가 까다롭고 복잡한 절차에 따라 그중 어떤 학생들을 뽑느냐보다 더 중요한 일일 것이다. 본고사에 대해 전 사회가 지불해야 하는 대가에 비해 그것이 가져올 수 있는 이익이 무엇일지는 불분명하며 그것이 학생들의 창의력이나 인간발달, 혹은 대학생활에 필요한 사고력발달에 기여하는 바가 무엇일지도 불분명한 것이다.

교육은 인간이 자연적 동물의 상태로부터 벗어나 인간다움의 가치를 실현하고자 하는 의지를 반영한다. 그러나 그 안에서 어떠한 인간다움의 가치를 선택할 것인가의 문제는 다분히 역사적이고 정치적 성격을 띄게 된다. 시대와 정치 이념, 또는 사회경제적 조건에 따라 교육에 대한 요구가 달라져 왔으며, 그것이 갖는 지향이나 목표가 다르게 설정되어 왔던 것이다. 교육개혁을 논하는 데 있어 요즈음의 기능성과 행정 위주의 태도는 우리 시대의 인간 이해를 그대로 드러내 보이고 있다. 그러나 교육개혁은 그것이 지향하는 인간상이나 행복한 삶에 대한 전망을 제시하고, 그에 이르는 최선의 방법이 무엇일까를 우리가 처해 있는 문화적 상황과 고유성을 바탕으로 모색하는 식이 아니라면 개혁이 아니라 피상적 대중요법에 불과하게 될 것이다.

요즈음 어린아이들과 젊은이들에 대해 그들의 버릇없음과 인격 실종을 개탄하기 전에 비인간화된 교육현장을 문제 삼아야 할 것이다. 살아남기 위해 그악스러워진 소수의 아이들과, 그들을 위한 들러리에 불과한 다수의 아이들이 어디서 인격적 존재의 가치를 배울 수 있겠는가? 그리고 그러한 아이들이 만들어낼 사회는 어떠하겠는가? 단편적 지식과 기능만으로 삶을 채워넣는 사람들이 모여사는 사회의 문화가 어떤 깊이를 가질 수 있겠는가? 오늘의 아이들을 비난하는 것은 콩을 심어놓고 팥나기를 기대하는 것과도 같다ㅑ. 우리는 시간이 걸리더라도 초등학교, 중학교 교육부터 풍요롭고 인간적인 공간이 되도록 하게 해야 할 것이며, 그것이 정작 국가가 적극적로 개입해야 할 부문인 것이다. 변화하는 세계 안에서 창조적이고 능동적 방식으로 융통성을 발휘하며, 문제를 발견하고 나아가 문제를 만들어내어 스스로 풀어가는 인간의 양성을 통해서 우리는 어떤 상황에도 대처할 수 있는 질긴 경쟁력을 확보할 수 있게 될 것이다.[58]

불로소득이 판치는 세상과 학교 공부

우리는 불로소득시대에 살고 있다. 작년 중반, 이미 경실련은 지난 3년 동안 서울 아파트값 상승으로 생긴 불로소득을 493조원으로 추정했다. 저금리 시대에 민간투자금은 이리저리 몰려다니고 부동산, 동학개미, 코인시장 등 돈의 쓰나미는 무섭게 휘몰아친다.

한국 현대사에서 불로소득은 1970년대 압축성장, 개발경제, 1997년 외환위기 등의 여파로 탄생한 잉여가치를 사회적으로 관리하는 데 실패한 시대적 산물이다. 자산소득은 이미 오래전에 근로소득을 앞질렀고, 노동시장 양극화로 질 낮은 일자리의 비중이 점차 늘어났다. 시중의 유동자금은 상시적 투기현상을 낳았다. 지금의 부동산 가격 급등은 한 정부의 정책실패 탓이라기보다 오히려 한국 현대사에서 지속적으로 축적되어 온 자본소득 과속 현상의 필연적 결과물이었다.

돌이켜보면, 근대사회는 노동과 능력의 가치 위에 세워진 사회체계이다. 전통적으로 노동의 신성함과 인간의 근면함에 기초하여 모든 불로소득을 선하지 않은 것으로 보았고, 애덤 스미스조차 불로소득에 대한 세금에 찬성하였다. 학교는 그런 철학과 노동관을 전파하는 가장 핵심적 사회기제였다. 학교에서 아이들은 노동은 신성한 것이며, 능력과 경쟁을 통해 성공할 수 있고, 자유롭고 평등한 기회를 통해 사회적 불평등은 지속적으로 교정되어 나가야 한다고 배웠다.

---

58) 김혜숙, 교육의 국제 경쟁력 강화와 경쟁 논리, 철학과 현실, 1994: 134-136.

하지만 불로소득이 성장을 견인하는(?) 시국에 이 전제는 힘없이 무너진다. 당장 학교가 사회평등화 기제라는 전제가 부정된다. 아이들은 공부가 성공을 보장하지 않으며, 미래를 결정하는 데 절대적 요인이 아니라는 점을 안다. 공부가 월급 몇 푼으로 치환되는 세상이라는 걸 간파하고 있다. 건물주가 되지 못할 바에야 사실상 노예일 수밖에 없는 근로자가 되기 위해 그토록 열심히 공부해야 한다는 현실을 거부한다. 결국 대학입학지원자 수는 당연히 이 영향을 받을 것이 분명하다.

민주당이 이번 선거에서 실패한 이유는 분명하다. 불로소득시대의 '사회양극화'가 소득의 양적 차이를 넘어 사회계급적 구조화로 전화되고 있는 현실을 직시하지 않고 단지 면피하려고만 했기 때문이다. 자본소득의 기하급수적 증가를 즐기고 세습하는 계급과 여전히 제한된 노동소득에만 의존할 수밖에 없는 계급 간의 분리 현상을 솔직히 공론화하지 않았기 때문이다. 여당 지도층 인사 가운데도 그런 '세습'에 편승한 사람들이 많았기 때문이다. 이 현상의 실체를 제대로 간파하지 못하고 여전히 '겉으로만' 공정, 공정, 공정을 외쳤기 때문이다. 공정 사회는 결코 입시제도 개선이나 청년 창업 혹은 종부세 인상 등의 미시적 조정만으로 이루어질 수 있는 것이 아니다.

아이들은 기성세대보다 현명하다. 이미 공정사회가 한물간 유행가라는 걸 알고 있다. 그래서 그나마 절차적 공정성이 남아있어 보이는 '시험'에 목숨을 걸고, 공무원시험에 매달리고, 정년이 긴 직장을 찾아다닌다. 이런 청년세대를 기성세대는 꿈이 없는 세대로 몰아붙인다.

아이들은 베이비부머 기성세대가 가졌던 그런 성공신화나 꿈을 버린 지 오래다. 미래는 사치스러운 단어이며, '지금'을 가장 행복하게 살아야 한다고 믿는다. 〈죽은 시인의 사회〉가 던져준 "카르페 디엠", 즉 현재를 소중히 여기라는 말이 지금 와서 더 아이들의 마음을 울린다. 기왕이면 욜로(Yolo), 즉 한번 사는 인생을 의미있게 살아보고 싶어한다. 아등바등 '영끌'을 하더라도 어쨌든 살아보려는 이들의 눈은 충혈되어 있다. 이런 걸 인생이라고 말해야 할지 모르겠지만, 이런 지옥에서 빨리 벗어나 사람답게 살고 싶다는 마음은 엉뚱하게도 '빨리 벌고 빨리 은퇴'하는 파이어족에 대한 동경을 낳는다.

사정이 이렇다면, 이 시대에 학교는 무엇을 가르쳐야 할까? 지금까지 가르쳐왔던 근대정신으로서의 자유와 평등, 공정성과 노력의 가치는 재해석되어야 할지 모른다. 우등생-명문 대학-좋은 직장-인생 성공으로 이어지는 환상이 인생을 바꾸어 놓기는 어려울지 모른다고 말해줘야 한다. 부모들은 아이들을 학원으로 내몰던 습관을 내려놓을 필요가 있다. 우리 사회의 미래가 그리 밝지 않다는 점을 솔직히 말해 줘야 한다. 그래서 공부의 의미가 이제 완전히 달라져야 한다고 가르쳐야 한다. 이참에 학교도 존재 이유를 근본부터 다시 생각해봐야 한다. 사회발전의 도구로 인간을 규정해왔던 낡은 철학을 버리고 현재를 살아가는 아이들의 삶을 소중히 여기는 새로운 교육논리를 다시 설계할 필요가 있다. 어차피 공부 잘해서 돈 많이 벌 수 있는 세상이 아니기 때문이다.[59]

아이고, 잘못 탔다

서울에서 강릉으로 향하는 기차 안. 객실에 오르자마자 나도 모르게 "아이고, 잘못 탔다"는 소리가 새어 나왔다. 기나긴 기차를 예매하며 몇호 칸에 앉는지 신경쓰지 않았다가 유아 동반석에 자리가 배정되었다는 사실을 깨닫고 나서 내뱉은 말이었다. 객실 내의 한 어린 아기가 우렁차게 울음을 시작하자, 그 울음이 순식간에 전염되어 침묵하던 다른 몇몇 아기들을 금세 울리고 말았다. '앞으로 두 시간. 그리 길지 않을 거야' 생각하고 늦은 밤 귀가 열차에서 눈을 짐짓 감았지만, 아기가 계속 울어 결국 잠들지 못했다. 실눈을 뜬 채로 아기가 우는 좌석을 바라보자, 아기 부모의 뒤통수가 아른거렸다. 앞뒤로 흔들거리는 머리를 보건대 아마 한창 아기를 달래는 중인 것 같았다. 부모의 어쩔 줄 모르는 모습도 짐짓 우는 아기만큼 당황한 것처럼 보였지만, 해당 칸이 유아 동반석이라는 사실 덕분인지 조급해 보이지 않았다. 아기를 혼내지 않고 다독여 천천히 그치게끔 해도 되는 분위기가 머무는 칸이었기 때문이다. 늦은 밤, 그렇게 기차 안에서는 저마다의 작고 동그란 머리들이 울고 있었고, 아기 부모들은 아기들의 합창을 저마다의 방식으로 어르고 있었다.

아기가 울 때 부모의 초조함을 아는지 모르는지 옆에 앉은 남자아이는 스마트폰으로 시청하는 만화영화 노래를 흥얼거리며 따라 부르고 있었다. 기차가 그리 무섭지 않고 나름 재밌는 공간임을 깨

---

59) 한숭희, 불로소득이 판치는 세상과 학교 공부 경향신문, 2021. 4. 15.

달은 아이 또래 몇몇의 까르르 소리가 함께 들렸다. 울음소리와 웃음소리가 뒤섞인 공간에서 '아이고, 잘못 탔다'는 씁쓸함이 다시 찾아왔다.

잠들기는 글렀다며, 될 대로 되라는 심정으로 눈을 다 뜬 채 기차 안을 서서히 둘러보았다. 눈을 감은 채 타인의 음성을 견딜 때는 괴로웠는데, 뜬 눈으로 아이들의 얼굴을 보니 낯선 주변 소리가 이내 당연한 모습으로, 또 금방 반가운 얼굴로 보이기 시작했다. '우는 아기, 웃는 아이를 보는 게 대체 얼마 만이지.' '쿠쿵' 소리와 함께 캄캄한 터널에 진입한 기차 안에서 눈앞에 펼쳐진 모습이 정말 귀한 장면임을 생각하게 되었다. 어둠을 뚫는 기차와 함께 기억을 되짚는 동안, 비행기 안에서 귀가 먹먹하다며 울던 내 모습과 비행기에서 내려 좋아하는 갈빗집에서 오락기를 갖고 놀던 내 과거가 파노라마처럼 스쳐 지나갔다. 지금 와서 아기와 아이의 동석을 꺼리는 나 자신조차 아기와 아이였다는 당연한 진실이 그제야 떠올랐다. 그리고 내가 울고 웃기를 반복한 십수 년 아동·청소년 시기 동안 내 옆자리에 기꺼이 앉아준 어른들의 모습이 생각났다. 한없이 단호하고 조건 없이 친절한 수십, 수백 명의 어른이 나의 성장을 곁에서 응원했다는 사실 말이다. 그렇게 큰 나는 정작 인내의 책임을 외면하고 있음을 알게 되었다. 나 자신은 마치 태어날 때부터 성숙했던 것처럼, 타인 앞에서 울지도 웃지도 않은 존재인 것처럼 여기면서 말이다.

강릉행 KTX 4호차. 총 5칸 중 유일한 유아 동반석이 있는 딱 한 칸. 한 아이의 성장을 함께 응원할 사람들이 많이 타면 좋겠다. 유아 동반석 인기가 뜨거운 나머지, 유아 동반석을 따로 두는 방식이 사라지고, 모든 칸에서 아이와 아기들의 웃고 우는 소리를 듣게 되길 희망한다. 부모와 아이의 삶이 나머지 시민과 분리되지 않은 채 같은 시간을 공유하게 되길 꿈꾼다. 대한민국 미래는 강릉행 KTX 4호차 인기에 달렸다.[60]

바보야!

서울에서 문학단체 총회가 있는 날 아침이다. 함께 참석하기로 한 선배와 9시 7분 KTX를 타기 위해 9시에 대전역 대합실에서 만나기로 했다. 평소에 버스를 타면 역전까지 40분 정도 걸리니까 8시에 버스를 타도 20분 여유가 있다. 밖에는 비가 내리고 있었다. 버스정거장까지 5분 거리, 8시 전에 버스를 탔다.

버스 안은 복잡했다. 학생들이 불편할까 봐 그 쪽으로는 눈길을 주지 않고 앞쪽만 바라보았다. 두 정거장 지나 자리가 생겼다. 자리에 앉아서 창밖을 보니 차가 많이 밀려 있다. 조금씩 가다 서기를 반복한다. 갑자기 불안한 생각이 든다. 갈 길은 먼데 10분이 후딱 지났다. 더구나 중간에 대전역을 경유하는 버스로 갈아타야 한다. 내려서 택시를 타면 어떨까. 그러나 교통이 혼잡할 때는 택시도 거북이가 될 수밖에 없다. 마음이 더욱 초조하고 조급해진다.

도마시장 앞에서 지팡이를 짚은 할머니가 버스에 탄다. 아이고, 시간이 왜 그렇게 오래 걸리는지…. 할머니가 자리에 앉는 것을 확인하고 버스가 천천히 움직이기 시작했다. 그러고 보니 운전기사도 답답하기 그지없다. 정거장마다 왜 그렇게 거북이처럼 구는지 달려

---

60) 변재원, 아이고, 잘못 탔다, 경향신문, 2024. 6. 17.

들어 따지고 싶을 정도였다. 유천시장에 도착할 무렵 대전역을 경유하는 직행버스 1번이 따라온다. 황급히 버스를 갈아탔는데도 마음이 조마조마했다.

중구청 네거리를 지나자 차가 횡해지고 중앙로가 활짝 열린다. 답답했던 마음도 상쾌해진다. 대전역에 8시 조금 넘어 도착했다. 눈 빠지게 기다리던 선배가 반갑게 손을 흔든다. 기차를 타고 나서야 한숨을 돌렸다. 그리고 눈을 감는다. 더 일찍 나왔어야지, 바보야. 출근시간에 비까지 내린다는 것을 왜 고려하지 못했어. 안전운전을 위해 노력하는 기사와 동작이 느린 할머니가 무슨 잘못이 있어, 이 바보야.[61]

---

61) 박진용. 바보야, 대전일보, 2024. 4. 3.

8. 신노년(New Old Age) 생활[62] 교감, 교장, 70세까지

  뉴 실버세대, '요즘 어른', '오팔 세대', '신어른 시장' 등 다양한 이름으로 불리고 있는 60년대생은 새로운 중년이란 타이틀답게 58년 개띠부터 70대까지 아우른다. 이들은 부모 봉양과 자녀 부양까지 책임질 세대로 상당한 소비 파급력을 갖는다.

  월평균 소득과 연령 계층별 소비력 등 60년대생의 경제 수준을 뒷받침하는 통계를 정리하면 이들은 단군 이래 부모 자녀보다 돈이 많은 최초이자 최후 세대에 가깝다. 이들은 평균적으로 고학력이며 가치관은 다양하고 구매경험과 소비 취향도 길고 까다롭다.

  젊어 생기는 물욕은 어쩔 수 없는 일이지만 늙어도 버리지 못하는 물욕은 비통할 따름이다.

  한창 사랑하는 사람이 있었던 시절, 문득 '요즘의 내게' 어떻게 살아왔는지 궁금해 사진첩을 열어본 적이 있다.

  그곳엔 당신의, 당신과 함께한, 아이들이 자라온 과정, 당신께 보여주기 위해 찍은 사진들만이 즐비해 있었다. '나의 인생 속에 당신이 들어온 걸까, 아니면 나도 모르는 사이 나의 인생이 돼버린 걸까.'라는 생각을 잠시 하다가 '아무렴 어때, 당신은 내게 당신은 소중한 사람인 걸.'라는 생각을 하며 피식 웃었던 걸로 기억한다. 변하지 않겠노라 장담하지 않았던 걸로 기억한다. 대신 언제까

---

62) 신-노년층(新老年層)은 경제적 기반을 갖추고 여가나 취미, 사회 활동 따위에 적극적으로 참여하는 50대에서 60대를 가리키는 말이다.

지고 그 사람에게 다정다감한 사람이고 싶었고, 그만큼 많이 노력도 했던 걸로 기억한다. 이미 바람과 함께 사라져버린 사랑이라 아쉬운 마음은 딱히 없는 게 아니라 이제는 생각하지 말아야 할 당신이기에.

유리창을 통해 세상을 바라본다는 건 어찌 보면 좀 놀라운 경험인지도 모른다. 만약 당신이 멀리서 유리창을 바라보면, 유리창 너머에 존재하는 세상을 볼 수 있을 겁니다.

예를 들어, 당신께서 살림욕장에 와 계신다면 우거진 수풀을 볼 수 있을 테고, 바닷가에 와 계신다면 탁 트인 바다의 전망을 볼 수 있겠지요. 하지만 한 발자국, 한 발자국 유리창을 향해 가까이 가면 갈수록 유리창은 다른 모습을 비춰줍니다.

이 유리창이라는 녀석은 참 신기하게도 멀리서 바라보면 처음엔 유리창 너머의 세상의 모습을 보여줘서 색다른 느낌을 받지만 점점 다가서면 마치 거울처럼 우리 스스로의 모습을 비춰 돌아보게끔 합니다.

사실 인간관계도 이와 별반 다를 것이 없다. 주금 거리를 두고 멀리서 바라보면 그 사람과 전혀 다른 세상을 살고 있는 것처럼 비춰지지만 막상 그 사람과 가까워지면 가까워질수록 '그 사람도 나와 같은 사람이구나' 나는 것을 깨닫게 된다. 남을 부러워하기 전에 자기 자신을 먼저 비춰볼 필요가 있다.[63]

인생의 황금기를 어떻게 보내면 좋을까. 마음은 아직 청춘인데 몸은 조금씩 늙어가고 있는 걸까? 아니, 익어가고 있는 것 같다. 60

---

[63] 이정희. 평범한 삶, 경기: 부크크, 2017: 75.

대를 어떻게 보내면 좋을까. 고민하고 고민하다가 예전에 박사과정에 가고 싶었던 생각이 떠올랐다. 석사과정을 마친 후 행여 대학시간 강사라도 해보고 싶은 소망이 다시 마음을 일으켰다. 도전해보자! 하고 여러 경향으로 미뤄뒀다가 예태 하지 못했던 박사공부를 이참에 해보자고 마음 먹었다.

강원대학에 선배, 동기, 후배들이 있고 해서 지원해 보기로 마음먹고 용기를 내서 학교 문을 두드렸다. 공부에서 손을 놓은 지 상당한 시간이 지난 지라 따라갈 수 있을까 걱정도 되었다.

첫 수업에는 좀 낯설었지만 점점 수업이 재미있었지만 이 나이에 새로워진 학문을 접하니 신기하고 즐거웠다. 대부분의 과목은 후배 교수들 한테 배웠다.

전공은 '구술체육사' 쪽으로 방향을 잡았다.

1970대부터 급속하게 진전되는 인구 고령화와 이로 인한 사회적 영향에 대한 관심이 크게 집중됐다. 그러나 연령이 증가함에 따라 쇠퇴나 질병·장애가 나타나는 것은 불가피하다고 생각하는 노화에 대한 부정적 시각이 지배적이었다. 따라서 생활양식이나 다른 심리 사회적 요인의 변화가 노인의 복리에 미치는 영향을 과소평가했다.

신노년학의 성공적 노화는 다음과 같은 3가지의 주요행동을 하는 것을 의미한다. 즉 성공적 노화는 질병률과 질병으로 인한 장애 위험 낮추기(질병 피해가기), 높은 수준의 정신적 기능과 신체적 기능 유지하기(높은 정신적 및 신체적 기능유지), 적극적으로 생활에 참여하기(적극적 생활참여)에 도전해 성공하는 것을 말한다.

이러한 3가지의 성공적 노화 행동은 유전적 요인(30%정도) 때문에 불가능한 것이 아니라

개인의 선택과 노력에 따른 생활습관 수정에 의해 훨씬 더 가능하다는 것이다. 결국 생활습관 수정 여부가 80대에 크로스컨트리 스키를 타는 노인이 되게 할 수도 있고, 휠체어를 타는 노인이 되게 할 수도 있다는 것이다.

이 같은 의미의 성공적 노화는 우리사회에서도 상당한 비판이 있음에도 불구하고 노인에 대한 이미지를 부정적 이미지(ill-derly)에서 긍정적 이미지(well-derly)로 바꾸는데 크게 기여할 수 있을 것으로 본다.

신노년학의 성공적 노화는 '99-88-234'를 목표로 하는 '활기찬 노후생활'(active aging)의 중요성을 뒷받침하는 주요한 이론적 근거가 될 수 있을 것이다.

네 마음 참 아름답다. 저녁에는 서쪽을 바라보고 어둠이 지나 아침이 되니 무거운 네 머리를 돌려 동쪽을 바라보며 햇님 보고 싶다 하니 더 예쁘게 보인다.

고향집 마당가에 넓은 해바라기 밭. 해바라기 활짝 핀 밭을 바라보면 옛생각에 젖는다.

일제강점기에는 해바라기씨 기름을 짜서 비행기 기름한다고 공출했었지.

지나간 시간들. 이런저런 일들이 생각난다. 행복하고 기쁘기 보다는 생각할 겨를도 없이 여기까지 왔다.

가. 당신은 마음밭에 무엇을 심겠어요?

눈앞에 당근 한 상자가 있다면, 당신은 무엇을 할 것인가. 생채를 만들거나, 따뜻한 당근 수프를 만들 수도 있다. 소금과 꿀, 레몬즙과 약간의 홀그레인 머스터드가 있다면 상큼한 당근 라페를 만들 수 있겠지. 이웃에게 나눠주는 건 어떨까. 요리하고 남은 당근 밑동은 물에 담가보자. 고양이 앞니보다도 작은 싹이, 하루가 다르게 쑥쑥 자랄 것이다. 그러다 어느 순간 높이 자라기를 멈추고, 연초록에서 진녹색으로 잎사귀의 채도를 높일 것이다.

'자루를 나눠드릴게요. 원하는 만큼 담아 가셔도 좋아요. 혼자 먹기 아까운 당근들, 수확의 기쁨을 누리며 떠나보낸 땅 위에서//

이제 내가 마주하는 것은/ 두더지의 눈// 나는 있다// 달빛 아래 펼쳐지는/ 당근밭// 짧은 이야기가 끝난 뒤/ 비로소 시작되는 긴 이야기로서'. 안희연 시인의 시 '당근밭 걷기' 일부다. 이 시 속에는 '나'와 '당근'과 '두더지'가 등장한다. 알다시피 땅속의 능숙한 채굴자인 두더지는 시력이 거의 퇴화했다. 그래서 시인은 보이지 않는 두더지의 시선에 의미를 더할 수도 있겠다. 그러나 그는 제자리에 그대로 둔다. 당근은 당근대로, 두더지는 두더지대로, '나'는 '나'대로 두어, 그다음에 시작되는 이야기를 오롯이 독자의 몫으로 남겨 둔다.

인생은 한 평의 밭을 가꾸는 일. 어느 날 당신은 당근을 뽑으며, 가슴 뿌듯한 자연의 신비를 느낄 것이다. 또 어떤 날은 두더지가 파놓은 구덩이에 발이 빠지기도 할 것이다. 어쩌면 예기치 못한 순간에, 땅속에 사는 두더지를 땅 위에서 맞닥뜨릴지도 모른다. 시인은 이 모든 상황을 무해한 시선으로 지켜보며, 밭을 떠나지 않는 사람이 된다. 이 글을 읽는 독자여, 당신의 이야기는 어떻게 시작되는가. 비옥한 땅에 입을 맞추며 기도를 드리는가. 아니면 실패한 심정으로 밭에 불을 지피는가. 시인은 조용히 묻는 듯하다. 오늘 당신은 마음밭에 무엇을 심겠느냐고.[64]

나. 하늘만은 남겨두자

만국기가 펄럭이던 운동회 날, 어른 아이 할 것 없이 모두 흥분

---

64) 신미나. 당신은 마음밭에 무엇을 심겠어요?, 국민일보, 2024. 6. 28.

상태였다. 달리기와 줄다리기, 기마전과 오자미를 던져 박을 터뜨리는 게임도 즐거웠지만 잠을 설치며 그날을 기다리도록 한 것은 역시 평소에는 먹어볼 수 없었던 군것질을 할 수 있다는 사실이었다. 투명한 병에 담긴 주황색의 음료는 가히 천국의 맛이었다. 내 눈을 온통 사로잡은 것은 크고 작은 풍선이 줄줄이 매달린 풍선 뽑기였다. 알록달록하고 큼지막한 풍선을 차지하고 싶었지만 내 몫은 늘 아주 작은 풍선이었다. 그때마다 내 눈길은 큰 풍선을 뽑고는 의기양양한 눈빛으로 주변을 둘러보는 친구들을 향하곤 했다. 하지만 돈이 없어 풍선 뽑기에 동참할 수 없던 아이들도 풍선 놀이에 슬쩍 참여할 수 있었다. 풍선을 들고 다니다 시들해진 아이들이 단단한 매듭을 끌러 풍선을 풀어놓으면 푸스스스 소리를 내며 제멋대로 날아가는 풍선을 함께 따라다니며 깔깔거렸다. 60년 전 저편의 풍경이다.

풍선은 일종의 꿈이다. 중력을 거슬러 상승하려는 인류의 꿈 말이다. 한밤중에 하늘을 올려다보면 광대무변의 세계가 성큼 다가왔다. 별자리들을 바라보며 경외심을 느끼지 않을 사람이 누구인가. 한낮의 하늘도 아름다웠다. 멋진 선을 그으며 날아다니는 제비의 날렵한 비행은 자유였고, 바람을 타고 공중을 선회하는 솔개의 우아한 몸짓은 고귀함이었고, 줄을 지어 어디론가 날아가는 기러기는 그리움이었다. 하늘에 한 줄기 선을 그리며 날아가는 비행기는 꿈이었다. 풍선은 그런 꿈의 소박한 대응물이었다. 놀이동산이나 공원에서 막대풍선에 헬륨 가스를 주입하여 몇번의 손동작만으로 동물이나 식물의 형상을 만들어내는 사람들을 아이들은 마치 창조의 신비를 보듯 바라본다.

미국의 현대 미술가인 제프 쿤스는 막대풍선으로 만드는 동물 모양을 스테인리스 스틸로 재현해 사람들에게 선보였다. '풍선 개' 혹은 '풍선 토끼' 앞에 사람들은 오래 머문다. 어찌 보면 유치해 보이는 그 작품을 두고 철학자 한병철 교수는 긍정사회의 체현이라고 평가했다. 매끄럽기 이를 데 없는 표면은 아무에게도 상처를 입히지 않는다는 것이다. '풍선 개'는 어떤 재앙도, 어떤 상처도, 어떤 깨어짐이나 갈라짐도, 심지어는 봉합선조차 없는 그 일관된 긍정의 세계이다. 갈등이나 아픔이나 내면이 없다. 그것은 허구의 세계일 뿐이다. 그런데도 사람들이 해석할 것도 생각할 것도 없는 그 작품 앞에 머무는 것은 어쩌면 잃어버린 세계에 대한 그리움 때문인지도 모르겠다.

북한이 날려 보내는 오물 풍선으로 인해 남북 간 군사적 긴장이 고조됐다. 타이머와 기폭 장치까지 설치된 풍선 속에 담긴 온갖 오물은 소통에 대한 거부, 체제에 대한 조롱, 우리를 건드리지 말라는 경고이다. 왜 이런 유치하기 짝이 없는 일을 하는 걸까? 탈북단체들이 살포하는 대북전단에 대한 대응이란 분석이 우세하다. 우리 군은 9·19 군사합의에 의해 중단했던 대북 확성기 방송을 재개했다. 본래적 언어는 사람과 사람 사이를 이어주는 것이지만 타락한 언어, 권력으로 변한 언어, 실체와의 약속을 저버린 언어는 오히려 관계를 소원하게 만든다. 땅에 그어진 경계선 때문에 하늘조차 나뉘었다. 그 하늘을 오물 풍선과 대북 전단을 담은 풍선이 점유하는 이 현실이 가슴 아프다.

정현종 시인의 '요격시1'을 떠올리는 것은 그 때문이다. "다른 무기가 없습니다/ 마음을 발사합니다"라고 시작되는 이 시에서 시인은 세상을 파괴하는 온갖 무기와 정치꾼, 군사 모험주의자, 제국주의자, 승리 중독자들에게 두루미, 기러기, 도요새, 굴뚝새, 뻐꾸기, 비둘기, 왜가리, 뜸부기, 까마귀, 먹황새, 물오리, 때까치, 가마우지를 발사한다고 말한다. 어찌 보면 황당하지만 이 가슴 벅찬 시적 상상력이 바로 평화의 단초임을 잊지 말아야 한다.

미래 세대를 위해서라도 하늘만은 남겨두었으면 좋겠다. 증오와 적대감이 오가는 공간이 아니라 숭고함과 아름다움을 향한 상승의 꿈을 위한 공간으로 말이다. 저 푸른 하늘을 배경으로 문득 나타난 풍선에서 오물을 떠올리지 않을 수 있기를 바랄 뿐이다.[65]

다. 삐뚤이 할매

작년 가을, 여행기 청탁 때문에 고흥에 갔다. 늦가을인데도 들풀은 새파랬고, 햇볕이 따가웠다. 녹동이란 표지판을 보고 잊었던 기억이 떠올랐다. 삐뚤이 할매. 입이 홱 돌아갔다고 삐뚤이 할매였다. 젊어서는 구례서 내로라하는 미인이었다는데 내가 태어났을 때 할매는 이미 삐뚤이인 데다 늙어 미(美)를 떠올릴 상황이 아니었다. 그저 입 돌아간 할매였을 뿐.

가까운 사이도 아니었는데 내가 삐뚤이 할매를 잊지 못한 것은 언젠가 누구에겐가 들은 이야기 때문이다. 할매는 꿈에도 기다리던

---

65) 김기석. 하늘만은 남겨두자. 경향신문. 2024. 6. 13.

아들을 낳고 입이 돌아갔다. 입만 돌아간 게 아니다. 눈썹과 머리
가 다 빠지고 살이 짓물렀단다. 다들 문둥병이라고 했다. 문둥이가
흔하던 시절이었다. 남편은 야멸차게 갓난아이를 떼내고 할매를 쫓
아냈다. 할매가 갈 곳은, 아니 할매를 받아줄 곳은 소록도뿐이었다.
고속도로도 없고 버스도 흔치 않던 시절, 할매는 병든 몸으로 걷고
또 걸어 소록도로 갔다. 문둥병인 줄 알았으니 사람의 눈을 피해
걸었을 게다. 가도 가도 붉은 황톳길을, 문둥이 시인 한하운처럼.

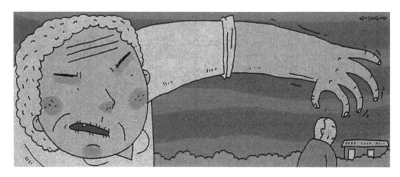

남편도 이웃도 다 문둥병이랬는데 정작 소록도에서는 문둥병이
아니라고 했다. 그렇지만 머리카락이 다 빠지고 살이 다 문드러진
채 아이들 옆으로 돌아갈 수는 없었다. 일을 하고 싶어도 문둥병
같은 행색의 할매에게 아무도 일을 주지 않았다. 소록도가 바라보
이는 녹동항 인근에서 빌어먹으며 할매는 겨우겨우 목숨을 부지했
다. 어느 날, 엎드려 손을 내밀고 있는 할매의 등짝을 누군가 야무
지게 내려치며 소리쳤다. "사지육신 밀쩡한 년이 먼 낯짝으로 동
냥질이여!"

어느샌가 머리카락이 새로 나고 곪아 터졌던 상처에 새살이 돋
은 것을 할매는 의식하지 못하고 있었다. 입이 비뚤어지고 한쪽 얼

굴이 내려앉긴 했지만 누가 봐도 문둥이 행색은 아니었다. 등짝 내려친 녹동 할매에게 전후사정을 설명하고 몇푼의 돈을 꾼 할매는 한달음에 집으로 달려갔다. 어미 없이 벌써 종알종알 새살을 늘어놓을 아들이 사무치게 그리웠겠지.

대문을 들어서자 낯선 여자가 우물가에서 빨래를 하고 있더란다. 돌쟁이쯤의 아이를 들쳐업은 채 콧노래를 흥얼거리며. 남편은 할매를 내쫓은 직후 새 여자를 들인 것이다. 아내가 죽거나 아프면 가차 없이 아이들 돌봐줄 새 여자를 들이던 시대였다. 그것만 해도 억장이 무너지는데 여자 옆에서 서너 살 된 사내아이가 빼꼼 고개를 내밀었다. 입이 비뚤어지고 한쪽 얼굴이 내려앉은 할매를 본 아이는 소스라쳐 울음을 터뜨렸다. 젖 물리다 말고 빼앗긴 할매의 아이였다. 뒤늦게 상황을 파악한 할매는 털썩 주저앉아 손바닥으로 땅을 내리치며 꺼이꺼이, 섧게 울었다.

누구에게 들었는지는 잊었는데, 그날따라 구름 한 점 없던 하늘이 가을 강처럼 시퍼랬다는 말은 생생하게 기억난다. 그 뒤로 나는 구름 한 점 없이 새파란 하늘만 보면 녹동을 생각하곤 했다. 나에게 녹동은 유년의 내가 가닿지 못한 삶의 비의(悲意)를 품은 곳이었다. 집에서도 소록도에서도 쫓겨나 바닷가의 세찬 바람을 맞으며, 자신보다 별반 나을 것도 없는 가난한 어촌 사람들에게 동냥질을 하며 살던 그 시절, 할매는 어떤 마음이었을까?

집으로 돌아온 할매는 온 세상이 제 새끼 노리는 위험한 매이기나 한 듯 제 자식 품에 꿰찬 독한 암탉이 되었다. 할매가 장에 나타나면 장사꾼들은 속으로 욕을 하며 눈을 마주치지 않으려 애써

딴짓을 했다. 참외가 천 원에 네 개라치면 말도 없이 천 원만 건네고는 대여섯 개를 마구 주워 담기 때문이었다. 어지간히 대찬 장사꾼이라도 할매를 당해낼 수는 없었다. 여자가 저리 독하니 영감이 더 못난 첩실만 끼고도는 거라고, 사람들은 뒷전에서 들으란 듯 숙덕거렸다.

실제로 할매의 남편은 노상 첩 집에서 살았다. 바로 길 건넛집이었는데 언젠가 대문 앞에서 그 집을 노려보는 할매를 본 적이 있다. 저녁 무렵이었다. 첩 집 담 너머로 내용은 알 수 없지만 다정한 것이 분명한 나지막한 소리가 흘러나오고 있었다. 별생각 없이 인사를 건넸는데 나를 휙 돌아본 할매 눈에서 시퍼런 불꽃이 튀는 것 같았다. 나를 알아본 순간 이내 그 불꽃은 사그라들었지만. 남편의 사랑을 잃은 여자는 독해진다. 살아남아야 하니까. 할매 닮아 똑똑하고 인물 좋은 자식들은 다 성공해서 서울 산다. 첩 자식들보다 훨씬 잘됐다. 눈을 감을 때 할매는 그래서 행복했을까? 아니면 다시는 빼앗아오지 못한 남편의 사랑이 더욱 사무쳤을까?[66]

라. 노란봉투의 꿈

옛 시골에서 우편배달부가 집에 노란봉투를 떨구면 바로 아버지에게 들고 갔다. 편지 담긴 흰봉투와 달리 노란봉투엔 행정·학교 고지서가 자주 담겼다. 색다르게 보낸 우편물이었다. 노란봉투는 1990년대 초까지 지폐·동전을 담아준 월급봉투였고, 해고통지서도

---

66) 정지아. 삐뚤이 할매, 경향신문, 2024. 6. 20.

그 봉투로 보냈다. 은행 계좌가 낯설고 휴대폰 문자가 없던 1970~80년대 소설·시엔 노란봉투가 곧잘 등장한다. 삶의 애환과 희망이 그 노란 빛깔에 물들어 있을 때였다.

노란봉투는 2014년 사회운동의 상징물이 됐다. 쌍용차 파업 노동자들에게 회사·경찰이 청구한 47억원의 손배·가압류에 십시일반으로 돕자는 물결이 인 것이다. "작은 일부터 시작합니다." 39세 배춘환씨가 아이 태권도비로 보낸 4만7000원에 가수 이효리도 "제 4만7000원이 누군가의 어깨를 두드려…"라며 동참했고, 놈 촘스키는 47달러를 보내왔다. 이렇게 111일간 시민모임 '손잡고'에 4만7547명이 보낸 14억7000여만원이 답지했다. 노동사에 가장 컸던 시민모금 열기였다.

한국은 헌법이 보장한 단체행동(파업)에 민사 책임을 묻는 유일한 OECD 국가이다. 손배소는 임금·근로조건을 다투는 이른바 '합법파업'에만 면제되고, 정리해고·민영화 등에 맞선 대다수 파업에 남발되고 있다. 바로 임금·퇴직금·부동산부터 가압류하는 손배소는 노동자에게 경제적 위기·가족 해체 고통을 안기고 노조 활동을 옥죈다. 10년 만에 복직한 쌍용차 해고노동자 첫 월급도 50%는 가압류됐다. 가장 먼저, 가장 늦게까지 손배·가압류는 노동자를 벼랑으로 내몰고 있다.

경찰의 쌍용차 손배소 취하를 촉구하는 결의안이 지난달 31일 국회에서 통과됐다. 손배 실타래를 푸는 첫발을 국회가 뗀 것이다. 경찰은 2019년 '폭력 진압'을 인정한 진상조사위 권고에 따라 경찰청장이 사과하고 가압류를 풀었지만, 손배소송은 2016년 시작된 대법 판결 후에 결정하겠다고 미루고 있다. 이 금액만 28억원을 넘고, 하루 62만원씩 이자가 붙고 있다. 쌍용차는 "정부가 취하하면 하겠다"는 태세다. 노동3권에 손배소를 금지하고, 폭력·파괴 행위만 예외적으로 손배소를 하도록 한 '노란봉투법'이 21대 국회에도 다시 발의됐다. '노란봉투의 꿈'은 7년이 지났어도 갈 길이 멀다.[67]

정의당이 제출한 노동조합 및 노동관계조정법 2·3조 개정에 관한 법률안으로 일명 노란봉투법이라고 부른다.

이름은 쌍용차 사태 노동자에 대한 노란봉투 후원에서 유래했다. 2014년 법원이 쌍용차 사태에 참여한 노동자들에게 47억 원의 손해배상액 청구 판결을 내린 후 한 시민이 '노란색 봉투'에 작은 성금을 전달하기 시작했고 이후 시민들의 '노란봉투 캠페인'으로 이어져 15억에 가까운 돈을 모금했다. 과거 월급봉투가 노란색이었다는 점에서 착안하여, 손배가압류로 고통받는 노동자들이 예전처럼 월급을 받아 다시 평범한 일상을 되찾길 바라는 마음으로 지은 이름이라고 한다. 하지만 이런 네이밍 법안의 취지가 본 법안을 미화하고 좋게 포장한다는 비판도 있다.

---

67) 이기수. 노란봉투의 꿈, 경향신문, 2021. 9. 1.

9. 노후 생활-70세 이후

"오밤중에 뭘 또 만들어?" 방문을 열고 나오며 형이 묻는다. 별도리가 없다는 듯 씩 웃고 만다. 도마 위에는 토막 난 애호박과 양파가 가지런히 놓여 있다. "오늘도 글이 잘 안 풀린 거야?" 형이 다시 묻는다. 나는 여전히 웃고 있다. 곧바로 들기름을 두르고 프라이팬 위에서 지지고 볶는 시간이 이어진다. 다진 마늘을 듬뿍 넣고 새우젓을 넣어 간을 맞춘다. 이윽고 완성된 애호박볶음 위에 통깨를 솔솔 뿌린다. 오밤중에 뭘 또 만드는 시간이 끝났다. 시계를 보니 고작 20분 정도가 지났다.

원고가 잘 안 풀리거나 다 쓴 원고가 영 마음에 들지 않을 때면 요리에 돌입한다. 요즘 들어 요리하는 횟수가 부쩍 늘어난 것을 보니 헛웃음이 난다. 글쓰기 실력이 늘어야 하는데 요리 실력만 향상되고 있다. 20분 만에 내일의 밑반찬이 생겼다는 뿌듯함도 잠시, 오늘 하루도 공쳤다는 슬픔이 찾아온다. 글쓰기는 왜 매번 어려울까. 앉은자리에서 뚝딱 완성되는 기적은 평생 일어나지 않을 셈인가. 그럼에도 나는 왜 쓰는 일에 이리도 안달복달 매달리는가. 밑 빠진 독에 물을 붓다 보면 언젠가 독의 밑이 밑반찬처럼 생겨날 거라 믿는 것인가.

언젠가 형이 물은 적이 있었다. 글을 쓰고 온 날이면 무척 피로할 텐데 왜 그렇게 요리에 매달리느냐고. "이건 완성이 되잖아." 즉각적으로 튀어 나간 말이다. "싱겁든 짜든, 설익었든 푹 익었든 적어도 먹을 수는 있잖아." 지금 돌이켜보니 이는 분명 나 자신에게 한 말이다. 글을 쓰고 난 다음에 찾아오는 성취감을 나는 요리를 통해서 얻으려고 했던 것이다. 오늘 하루를 허투루 보내지 않았다는 것을 스스로 증명하고자 했는지도 모른다. 적어도 요리는 음식이라는 눈에 보이는 결과물로 나타나니까.

요리하는 과정과 글 쓰는 과정은 묘하게 닮았다. 요리할 때 식재료를 준비해야 하듯, 글을 쓰기 위해서는 일상의 장면이나 단어를 그러모아야 한다. 식재료가 조리법에 따라 다양한 요리로 탄생하듯, 특정 소재가 어떤 장르의 글이 되느냐에 따라 글의 양상도 사뭇 달라진다. 처음 마주한 식재료 앞에서 난감하듯, 퍼뜩 떠오른 아이디어 앞에서 그것을 어떻게 풀어야 할지 고심하기도 한다. 익숙한 요리라고 해서 매번 맛이 같은 것은 아니다. 지난번과 똑같은 과정을 거쳤더라도 간이든 질감이든 맛이 묘하게 다르다. 글 또한 마찬가지다. 풀 한 포기, 나무 한 그루에 관해 쓰더라도 이전과 완전히 똑같이 쓸 수는 없다. 그사이 풍경도 변하고, 그 풍경에 깃드는 시선도 달라졌기 때문이다.

요리와 관련된 동사를 떠올린다. 까다, 썰다, 저미다, 빻다, 으깨다, 갈다, 섞다, 붓다, 젓다, 녹이다, 굽다, 볶다, 튀기다, 찌다, 끓이다, 쑤다, 무치다, 부치다, 절이다, 조리다, 삶다 등 일일이 열거할 수 없을 정도다.

식재료라는 명사와 위의 동사가 요리라는 명사로 탄생하는 장면은 상상만으로도 뿌듯하다. 맛있다, 훌륭하다, 환상적이다 등의 형용사가 절로 따라온다면 기쁨은 배가될 것이다. 튀긴 음식이 기름

위로 고개를 내밀 듯 금세 완성되는 글도 있지만, 찌거나 삶는 것처럼 오랫동안 기다려야 하는 글도 있다. 죽을 쑬 때처럼 젓기를 멈추어서는 안 되는 글도 있다. 절여야 음식으로 완성되는 식재료처럼, 진득하게 기다려야 글로 탄생하는 소재도 있다.

더 알맞게 만들기 위해 조미료를 사용하는 것처럼, 나 또한 글 쓸 때 부사를 그런 방식으로 활용한다. 요리에도 글쓰기에도 적재적소가 필요하다. 막 완성된 음식을 맛보고 "아!" 하고 탄성을 내뱉듯, 글쓰기의 마지막에 늘 감탄사가 깃들길 염원한다. 슬픈 일은 쓴다고 해서 다 읽을 만한 글이 되는 것은 아니라는 점이다. 글을 쓰면서 나는 역설적으로 먹을 만한 음식이 얼마나 귀한지 깨닫게 되었다.

읽을 만한 글을 쓰는 사람은 쓸 만한 사람일까, 오늘도 생각한다.[68]

왜 이렇게 된 것일까? 여러 설명이 있을 수 있겠지만, 여기에선 낭만적 사랑의 파탄으로 접근해보자.

낭만적 사랑은 상대방의 겉모습에 첫눈에 반하는 시장의 사랑이다. 명품의 겉모습에 한눈에 반하는 것과 같은 비합리적 체험이다. 하지만 이 명품이 일상의 삶에서 너무 동떨어져 있기에 정상적으론 결코 획득할 수 없다. 방해자까지 나서니 힘들다. 낭만적 사랑은 굴곡진 연애를 통해 이 모든 어려움을 극복하고 결혼으로 승리한다. 뒷부분에는 지루한 산문의 사랑이 기다리고 있다.

상대방의 겉모습이 가져다준 즐거움과 쾌락이 어느 정도 가라앉

---

68) 오은. 요리와 글쓰기, 경향신문, 2024. 6. 12.

는다. 근본적인 물음이 떠오른다. 이전처럼 더는 즐거움과 쾌락이 없음에도 왜 둘이 평생 서로를 배타적으로 사랑하며 살아가야 하나? 분명 시장의 사랑인데도 한번 구매하면 절대 반품할 수 없다. 운명으로 알고 평생 둘만 독점적인 사랑 관계를 유지해야 한다. 이를 위해 부부는 함께 이루어나갈 장기 공동 목표를 설정한다.

자녀 양육이 가장 대표적이다. 부부는 자녀의 미래를 위해 상대방을 끊임없이 조절하려고 한다. 이러한 상호 조절이 보완적으로 잘 충족될 때 가족은 유지된다.

처음 넘어졌을 때 아픔을 배웠다. 두 번째엔 스스로 일어나는 법을, 세 번째엔 신발 끈을 동여매는 법을, 네 번째엔 좀 더 천천히 달리는 법을, 다섯 번째엔 발밑을 좀 더 유심히 바라보는 법을 배웠다. 그러나 아무리 넘어져도, 넘어지지 않는 법을 배우지 못했다. 하지만 세상을 살다보면 언젠간 볼썽사납게 넘어지는 날이 올거라고 생각한다. 그러나 그때는 지금보다 좀 더 가벼운 마음으로 옷에 묻은 먼지를 털 듯 또다시 앞을 향해 달려 나갈 수 있을 거라고 확신한다.

소와 토끼의 만남! 연상의 연인!

겨울과 개나리, 어찌 보면 정말로 안 어울리는 단어의 조합이다. 겨울에 핀 개나리라니, 시에서나 나올 법한 이야기지만 실제로 작년에 겨울에 개나리가 핀 곳이 있었다.

평년보다 너무 따뜻한 기온 탓에 봄이 온 줄만 알고 피어버린 귀한 개나리가 있었다. 비단 우리에게만 이런 현상이 일어난 것이 아니었다. 바다 건너 어느 곳에서도 더러 피는 꽃이었다.

그곳에서는 한 겨울에 꽃이 핀 것을 부정적인 시선으로 보고, 이것이 망할 징조라며 호들갑을 떨었다. 그런데 그와는 정반대로 우리나라에서 겨울에 핀 개나리를 보신 한 할머니는 '겨울에 피었지만 참 곱다. 날이 추워지면 꽃이 죽진 않을까 걱정이지만, 이른 봄을 선물받은 기분이고, 올 한 해는 정말 좋은 일들만 가득할 것 같다.' 그리고 '춘매는 아직도' 라고 말씀하신다.

당신은 어떻습니까? 따뜻하게 봉우리를 틔워낸 꽃을 더러 철모른다고 하실 건가요. 아니면 계절을 철없다 하시렵니까. 한겨울에 샛노란 개나리를 볼 수 있다는 것에 행복해하는 건 철모르는 계절보다 더 철없는 생각일까요.[69] 춘매(春梅)가 꽃이 피면 아마 그때는 당신은 아실겁니다.

사람들은 누구나 자신만의 조그마한 새장 속에 눈이 시리도록 푸른 파랑새를 품고 인생을 살아간다. 수많은 사람들이 그토록 염원하고, 원하고, 이루고자 하는 '꿈' 그리면서.

그러나 새장 속에 갇힌 파랑새를 마음껏 날개해 주고, 그 파랑새

---

69) 이정희. 평범한 삶, 경기: 부크크, 2017: 71.

를 쫓아다니며 살아갈 수 있는 사람은 매우 극소수이다. 부분이 아주 좁은 새장 밖에는 갖출 여력이 되질 않고, 한족 발을 현실에 푹 담근 채로 파랑새를 쫓기 때문이다. 결국 조그만 새장 속에서 창공을 그리던 파랑새는 기다림에 지쳐 신기루 저편으로 사라져 버리고 마는 데. 사람들은 그 순간을 이렇게 부르곤 한다. '철들었다.' 라고.

세상에 그 어떤 전설의 명포수도 대신 잡아줄 수 없는 새가 딱 두 마리가 있다. '파랑새' 70)와 '피앙새(fiance)', 아무리 애를 써도 잡을 수가 없다면, 그들이 아무리 맘껏 날아다녀도 날개가 아파 지쳐 내려앉으면 그곳이 바로 내 품 안일 수 있도록 넓은 마음으로 사랑하는 것이 최선인지도 모른다.71)

만약 인간의 삶 속에서 모두 필연이 아니더라도, 진한 포응 한 번 나눈 사이가 아니더라도, 서로간의 추억 한 조각쯤은 어딘가에 남아 있을 것이다.

---

70) 파랑새 증후군; 마테를링크의 동화극 파랑새에서의 주인공처럼 미래의 행복만을 꿈꾸면서 현재의 일에는 흥미를 느끼지 못하여 관심을 가지지 아니하는 증후군.
71) 이정희. 평범한 삶, 경기: 부크크, 2017: 72.

　사람과 사람이 서로 간에 신뢰나 우정, 사랑을 쌓기는 어려우나 두텁게 잘 쌓은 그것들이 무너지는 데는 그다지 어렵지 않다. 흔히들 사람들은 집을 짓기는 어려운데 부수는 건 쉽지 않다고 비유한다. 사람과 사람이 만나기 쉬운데 헤어지기 어렵다는 말로, 마음을 열기는 쉬운데 닫기는 힘들다고 표현한다.

　누군가가 그랬습니다.

　인연이란 잠자리 날개가 바위에 스쳐 그 바위가 눈꽃처럼 하이얀 가루가 될 즈음 그때서야 한 번 찾아오는 것이라고 그것이 인연이라고 누군가가 그랬습니다.

　등나무 그늘에 누워 같은 하루를 바라보는 저 연인에게도 분명, 우리가 다 알지 못할 눈물겨운 기다림이 있었다는 사실을 그렇기에 겨울꽃보다 더 아름답고 사람 안에 또 한 사람을 잉태할 수 있게 함이 그것이 사람의 인연이라고 누군가가 그랬습니다.

　나무와 구름 사이 바다와 섬 사이 그리고 사람과 사람 사이에는 수 천 수 만번의 애닯고 쓰라린 잠자리 날개짓이 숨쉬고 있음을 누군가가 그랬습니다.

　인연은 서리처럼 겨울담장을 조용히 넘어오기에 한 겨울에도 마음의 문을 활짝 열어 놓아야 한다고 누군가가 그랬습니다

　먹구름처럼 흔들거리더니 대뜸..내 손목을 잡으며 함께 겨울나무가 되어줄 수 있느냐고 눈 내리는 어느 겨울 밤에 눈 위에 무릎을 적시며 천 년에나 한 번 마주칠 인연인 것처럼 잠자리 날개처럼 부르르 떨며 그 누군가가 내게 그랬습니다. 그것이 인연이라고...

　당신과 만남에서 서로의 마음을 열고 닫는 인연의 과정에서 서

로에게 아픔을 주는 것도 당신과 내가 다르기에 그렇습니다.

남과 남이 만나는 인연이기에 세상에 나와 같은 사람은 존재하지 않기에 그렇습니다. 나와 다르다고 멀리하면 그 인연은 인연의 끝이 가까워진 것이지요.

사랑은 나를 버리고 그 사람을 닮고 닮아 어느 덧 그 사람이 되어가는 것입니다. 그래서 아무리 아픔이 있어도 당신과 나의 인연이 소중함을 알기에 늘 당신과 함께 하고픈 나입니다.

바닷가에 금빛 모래가 모이듯 당신과의 아름다운 많은 추억들을 만들어 가겠습니다.

온 동네 아낙네들이 길쌈으로 짠 삼베를 가져온다. 재단해서 여름옷을 재봉틀로 꿰맨다. 마당가에는 화단에 다알리아꽃이 활짝 피었다. 알록달록. 무당벌레가 잎을 긁어먹고, 어디서 날아왔는지 커다란 호랑나비가 날아다닌다. 징그럽게 생긴 밤벌레가 호랑나비가 된다.

여름이 지나 가을이 되니 온 나무가 울긋불긋 물들었다.

빨강, 노랑, 분홍 참 아름답다. 곧 떨어지는 낙엽이 될텐데 끝까지 아름다움을 선물하는 나뭇잎. 단풍나무 맡에 피어 있는 작은 들꽃들 앙증스런 모습에 발걸음을 떼지 못한다. 피는 꽃, 지는 단풍의 어울림이 우리가 사는 세상 같다.

갈나무 마른 잎이 떨어지지 않은 옆에 추위를 견디고 수줍게 핀 매화꽃 누군가 이름 모를 꽃을 매화꽃 밑에 심어놓았다. 외로운 매화꽃을 위로하는 것 같다. 나의 삶의 여전을 돌아보면 매화꽃을 닮은 듯하다.

　내가 하고 싶었던 일을 못 한 것이 후회는 되지만, 후회해도 돌이킬 수 없으니 이미 내가 선택한 일에는 더욱 후회하지 않으려 한다.

　세상 살다보면 억울한 일도 생기고 잘못하는 일도 있다. 잘못은 잘못했다, 미안하다 하면 되는 것이고 억울한 일은 가슴에 묻지 말고 홀홀 털어버리면 된다. 지난날도 나의 운명이고 앞으로의 아갈 일도 나의 운명이니까, 웃으며 후회 없이 살려고 한다.[72)]

가. 민간요법으로 치료하던 신통한 묘약들

　허리가 아프면 골담초 뿌리와 줄기로 술과 단술을, 뱀술을 담아 먹었고, 무릎이 아프면 우슬 뿌리로 술과 단술을 담아 먹었다. 더위를 먹으면 익모초 생즙을 먹었다

골담초 꽃은 전을 부치고 밥솥에 넣어 밥을 지어 먹었다

---

72) 지정숙. 지정숙 자서전, 서울: 부크크, 2020: 53-54.

1950년~60년대 봉강리(경북 상주시 외서면)뿐만 아니라 읍내에도 의원이 몇 곳밖에 없었다. 대부분 민간요법으로 치료를 하였고 잘 먹지 못하던 때라 병에 걸리면 거의 다 죽었다.

결핵을 앓는 사람이 많았고 가족 중에 환자가 있으면 전염되어 여러 사람이 아팠다. 나이가 많으신 분, 어린 중·고등학생도 결핵을 앓다가 죽어 갔었다. 겨울이 되면 기침을 많이 하는 천식 환자도 많았다. 천식도 전염이 되는가, 아들딸이 고생하였다. 천식과 감기 기침에는 말려둔 차즈기 잎과 파뿌리, 생강을 넣어 삶아서 마셨다.

여름에는 학질(초학. 말라리아)에 걸려 고생을 많이 했었다. 증상은 얼굴이 노랗고 기운이 없고 추워서 오들오들 떨면서 누워 있었다. 약은 입에 넣을 수 없을 만큼 쓴 금계랍(키니네)을 먹으면 증세가 좋아졌다.

홍역이 유행하면 1~2세의 어린이가 많이 앓았다. 온몸에 열이 나고 붉은 반점이 생기면 꽃이 피었다 하였다. 말을 잘못하면 부정 탄다고 아이한테 존댓말을 하였다. 천연두(마마)는 얼굴 부위에 열이 나고 발진 되어 잘못되면 얼굴에 상처가 남았다. 홍역 천연두(마마)를 앓다가 아이들의 절반 가까이 죽었다. 그래서 홍역 천연두를 앓고 일어나야 부모들은 안심하였다.

장티푸스(장질부사)를 앓는 환자가 전국적으로 유행하면 많이 죽었다. 1945년 남편이 장티푸스에 걸려 고생할 때 병간호하던 아내도 병에 걸렸다. 남편은 어렵게 완치되었는데 아내는 일어나지 못하고 하늘나라로 가는 일도 있었다. 전염병을 역병이라 했다.

못 먹어 영양분이 부족하여 그랬는가? 무릎, 머리, 팔, 다리에 부스럼, 종기가 많이 생겼다. 곪을 때는 붉게 부어 열도 나고 아팠다. 가장자리가 하얗게 곪으면 환부의 고름을 짜고 고약을 붙였다. 머리에 큰 종기가 생겨 고생을 많이 하였다. 고름을 짜내고 움푹 파인 곳에 고약을 붙였다. 매일 새 고약을 붙이면 붉은 새살이 돋아났다. 다 나아도 그 부분에는 머리털이 나지 않아 반질반질 하였다.

소화가 안 되는 분들도 많았다. 식사 후에는 소다를 한 숟가락씩 계속 먹었다. 소화가 잘된다는 약수터를 찾아 약수물을 마셨다. 나중에는 식사 못 하고 말라서 돌아가셨다. 병원에 가지 않아 위암인지? 몰랐었다. 속이쓰리고 아파서 힘들때는 옻을 삶아 먹거나 옻닭을 많이 먹었다. 옻이 올라서 고생할 때는 옻샘에서 몸을 씻으면 낳기도 하고, 계란 삶은 물을 바르기도 하였다.

젊은 분들이 잠을 자다가 죽는 일이 많았다. 심장마비라는 말은 없었고 그냥 급살로 죽었다고 하였다.

골담초 나무가 자라는 모습

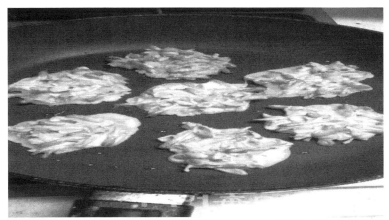

골담초 꽃으로 부친 전

허리통증에는 가을에 골담초 줄기를 자르고 뿌리를 캐어 삶은 물로 술을, 여자들은 단술을 담아서 먹었다. 꽃에도 효과가 있다고 봄에 골담초꽃이 피면 꽃을 따서 꽃 전을 부쳐 먹었고, 밥솥에 넣어 비벼서 먹었다. 허리통증(요통)에는 사주(뱀술)가 좋고 효과가 있다고 몇 년 땅속에 묻어 두었다가 마셨다.

우슬이 자라는 모습

무릎이 아플 때도 가을에 우슬 뿌리를 캐어 말려두었다가 술, 단술을 겨우내내 담가 먹었다. 봄에 올라오는 새순에도 효과가 있다고 뜯어서 삶아 나물로 먹었다.

나무에 올라갔다가 떨어져 뼈를 다쳤을 때는 병 입구를 솔잎으로 막은 병을 재래식 화장실에 넣어 병안에 들어간 맑은 물을 마셨다.

아이들이 울다가 금방 숨이 넘어갈 듯한 경기도 많이 하였다. 경기할 때는 영사를 갈아서 젖에 타서 먹였다. 피부병 옴도 많았다. 온천에 여행 갔다 와서 옴이 올라 가려워 고생하는 사람들이 많았다. 옴 약을 사서 들기름에 약을 넣어 끓여 식었을 때 저녁에 몸에 바르고 헌 옷을 입고 자고 아침에 씻는 치료를 여러번하면 좋아 졌다.

갈라진 벽의 흙을 파서 먹거나 마당의 흙을 파서 먹는 아이들이 많았다. 흙을 먹는 아이들이 배가 아파 고생하였다. 뱃속에 회충이 있으면 흙을 먹는다는 말도 있었다. 초등학교 입학하고 구충제 산토닌을 받아먹고 회충이 다 나오고 배가 아프지 않았다. 어른들은 배가 아프면 '갓' 을 넣어둔 집에서 검은 덩어리를 꺼내 약간 떼어 끓인 물에 풀어 마시면 금방 나았다. 이때 집 집마다 아편을 심었고, 잎은 따서 상추처럼 보리밥을 싸서 먹었다. 씨방에 상처를 내어 흰 물을 모으면 검은 아편 덩어리가 되었다. 마약인줄 모르고 아플 때 상비약으로 사용하였다.

친구 갑이가 배가고파 익은 보리이삭을 비벼서 후후 입으로 불어서 먹었다. 이때부터 침을 삼키면 목이 '뜨끔' '뜨끔' 하여 보

리까락이 목에 걸린 줄 알았단다. 불편하였지만 참고 살았다. 학교
에서 분유 배급을 받아 보자기에 담아 왔다. 집에서 숟가락으로 분
유를 입에 넣고 우물우물 녹여 먹다가 입천장에 분유가 묻었는데
떨어지지 않았다. 때어내려고 용을 쓰다 보니 맛이 이상하여 뱉으
니 피 고름이 나왔단다. 겁이 나서 말바탱이 약방에 뛰어가니 편도
선이 부어 '뜨끔' 그렸고, 곪아 터져서 이제 다 나았다는 이야기
를 들었단다.

자라는 익모초와 꽃

더운 여름에 열심히 일하다 더위를 먹어 고생하는 분들이 많았
다. 익모초를 베어 잎과 줄기를 방망이로 두드려 삼베 보자기로 짠

생즙을 사발에 담아 밤에 장독대 위에 두었다. 식전에 한 사발 마시면 더위가 나았다. 많이 쓰지만 토하려 하여도 넘어오지 않는다. 익모초는 부인병에 좋다고 꽃이 필 때 베어 말렸다가 겨울에 삶고 조려서 환을 만들어 먹었다. 아기를 낳은 산모의 붓기가 빠지지 않을 때는 늙은 호박을 삶아서 먹었다. 아기을 낳은 산모의 보양으로 가물치를 시장에서 사거나 직접 잡아서 삶아 주었다.

신경통이나 담이 걸릴 때는 지네를 잡거나 사서 불에 태워 고운 가루를 만들어 술에 타서 마시면 효과가 있었다. 어지러움(빈혈)에는 소 지라가 좋다고 잘게 썰어서 참기름 묻혀 먹었다.

소먹이 풀을 뜯다가 낮에 손을 많이 베여 피가 날 때, 쑥 잎을 찧어 벤 곳에 부처 피를 멈추게 하였다. 쑥 잎이 없는 겨울에는 된장을 상처 부위에 발랐다. 밥을 얻어먹으려고 식사 때 찾아오는 나병환자, 정신이상 환자들도 많았다.

이부자리와 옷에는 피를 빨아먹는 이, 빈대, 벼룩이 많았다. 1960년대 육군에서 복무할 때 이가 많아 내무반에서 작은 주머니를 만들어 DDT 가루를 넣어 내복 겨드랑 부위에 달고 생활하였다. 요즘 같았으면 야단이 났을 것이다.

50~60여년 동안 의료 기술의 발달과 예방 접종으로 사라진 질병이 있는가 하면 독감, 사스, 메르스, 코로나19 같은 새로운 질병이 발생하여 전 세계 인류를 죽음으로 몰아 가고 있다.

코로나19는 약제를 개발 예방접종을 하고 있으나, 인류와 경쟁이라도 하려는 듯 신종변이로 발전하고 있다. 질병을 뒤 따라가야 하는 의술의 발전이 안타까운 현실이다.[73]

나. 한복의 멋.... 그때가 그립다

여인들은 일류 디자이너 재봉사였다. 옷감인 삼베 명주를 자급자
족 하였다. 남여노소 모두가 한복을 입었다.

1950년대 봉강리(경북 상주군 외서면) 여인들뿐만 아니라 우리나
라의 여인들은 일류 디자이너이고 재봉사였다. 식구들의 옷은 직접
만들어 입혔다.

안방 윗목 경대 옆에는 바느질할 때 사용 할 수 있는 반짇고리
가 있었다. 반짇고리에는 크고 작은 바늘이 꽂혀있는 바늘꽂이, 실
이 감겨있는 실꾸리, 가위, 골무, 자 등이 담겨 있었다. 한복이나
버선을 만들 때 감을 자르기위해 종이로 만든 본은 몇 집에 더러
있었다. 오래 사용한 본은 찢어지고 누렇게 찌들었다. 빌려서 사용
하고 새 문종이로 다시 만들기도 하였다. 옷을 처음 만드는 어린
처녀들은 본을 놓고 재단하였으나, 옷을 잘 만드는 어른들은 본 없
이 재단하였다.

그 당시는 모든 것이 그렇듯이, 옷도 옷감도 자급자족하였다. 봄
가을 누에를 치고 누에고치로 실을 뽑아 베틀에 올려 명주를 짰다.
삼(대마)을 키우고 베고 큰솥에 삶아 껍질을 벗겨 삼을 삼았다. 물
레(얇게 찢은 껍질을 양쪽을 두 갈래로 갈라 무릎에 놓고 밀고 당
겨 실로 연결하는 것)로 돌려 실을 단단하게 하여 베틀에 올려 삼
베를 짰다. 목화를 키우고 가을에 목화송이를 뽑아 실을 뽑고 베틀
에 올려 베를 짰다. 물감을 들이거나 희게 표백하여 명절이나 큰일

---

73) 유병길. 민간요법으로 치료하던 신통한 묘약들, 시니어매일, 2021. 7. 26.

이 있을 때 가족들의 한복을 재단하여 옷을 직접 만들어 입혔다. 재단하여 옷을 만들 때 희미한 호롱불 밑에서 바늘에 실을 꿰어 한땀 한땀 바느질하여 무명 베옷 삼베옷 명주옷 등 만들 때는 밤잠을 설쳐가며 많은 고생을 하셨다.

처녀들이 시집가기 꼭 배워야 할 것은 많았지만, 필수항목은 모든 옷을 만들고 손질을 하고, 음식을 맛있게 만드는 요리사였다.

외출시에는 한복에 두루마기를 입고 갓을 썼다

그때 남자들이 입었던 평상시 한복은 중의(남자용 여름 홑바지) 위에 대님을 매고 버선을 신고 허리끈을 묶고, 적삼위에 조끼를 입었다. 외출할 때는 위에 두루마기를 입고 상투 위에 망건을 쓰고 갓을 쓰고 검정 고무신이나 짚신을 신고 나갔다. 겨울에는 중의와 적삼에 솜을 놓았다.

남자들은 일할 때도 한복을 입었고 물 논에서 일할 때는 중의를 걷어 올리고 일하였다. 1953년 휴전되고 제대한 젊은 남자들은 군복을 검은색으로 염색하여 작업복으로 입기 시작하면서 일할 때

작업복, 밖에 나갈 땐 외출복이 되었다.

남자 학생들의 교복이다

　직장에 다니는 공무원 선생님들은 양복을 입었다. 어린아이들도 한복을 입었고, 학생들은 교복을 입고 흰 고무신 검정 고무신을 신고 다녔다.

흰색 한복 치마 저고리는 여인들의 일상 옷이였다

　여자들은 밑이 트인 고쟁이를 입었다. 속치마를 입을 때는 오른쪽 왼쪽 양쪽 어깨끈을 끼우고 허리를 묶었다. 한복 치마의 말기에는 양쪽에 끈이 있다. 양쪽 끈을 잡고 앞에서 뒤로 돌려 끈을 바꾸어 잡고 가슴까지 올려 젖가슴을 당겨 매었다. 겨울에는 솜을 놓아 만든 저고리를 입고 버선을 신고 검정 고무신을 신었다. 바람이 불면 소매 끝과 앞가슴 쪽으로 바람이 술술 들어왔을 것이다. 양반집 여인들은 외출 시 저고리 위에 조끼를 입고 두루마기를 입고 머리에 마고자를 썼고 흰고무신을 신었다.

여학생들의 교복이다

여선생님들도 한복을 입었다. 여학생들의 교복은 검은 치마에 흰 저고리였고 희고 검은 고무신을 신었다. 50년대 후반에는 젊은 층이 통치마를 입기 시작하면서 유행하여 간편하게 입게 되었다.

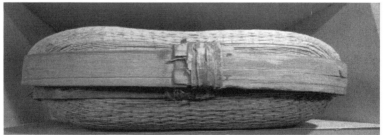

옷이나 옷감 등을 넣어 보관한 고리짝이다

　자주 안 입는 옷은 설합 장에 넣거나, 고리짝에 넣어 안방 동쪽 벽에서 서쪽벽으로 긴 서가래 두 개를 꽂아둔 곳에 얹어두었다. 자주 입는 옷은 아랫목 양쪽 벽에 못을 박고 끈으로 기다란 대나무 양쪽을 묶어두고 옷을 걸어 두었다. 먼지가 안지 않게 햇대보로 덮었다. 읍내에 생긴 틀(재봉틀) 집에서 남자 양복을 맞추고 여자 옷도 맞추어 입게 되었다.

　1960년대 우리 군이 월남전에 참여하면서 치마 말기에 고무줄을 넣는 월남치마가 유행하면서 양복점 양잠 점에서 옷을 맞추어 입었다. 70년 이후에는 맞추어 입는 옷보다 기성복이 나오기 시작하면서 사서 입기 시작하였다.[74]

다. 노화

　아, 글쎄 그냥그냥 가 버렸어요.

　세상엔 무수히 많은 길이 있다. 산책 나가는 오솔길도 있고, 애인 만나러 가는 설레는 길도 있다. 친구와 바위 벼랑 타는 암반 길도 있고, 청춘 남녀가 낭만을 수놓는 바닷가 백사장 길도 있다. 또 자식이 보내드리는 효도관광으로 걸어야 하는 둘렛길도 있고, 귀염둥이 손주 보러 가는 기다림의 길도 있다. 그런가 하면 화창한 봄날 아가씨들 사뿐사뿐 걷는 꽃길도 있고, 순희, 영자 소근 거리며 달래 캐는 정담의 논둑길과 산기슭 언덕길도 있다.

　한편 요란한 천둥소리 안고 떨어지는 소낙비 피하려다 소나기

---

74) 유병길. 한복의 멋.... 그때가 그립다, 시니어매일, 2021. 4. 7.

맞고 뛰는 시원한 길이 있는가 하면, 와삭와삭 단풍 낙엽 밟으면서 인생을 음미하며 걷는 가을 서정의 길도 있다. 점입가경으로 흰 눈 내리는 빙판 썰매 타러 가는 길도 있고, 눈싸움으로 개처럼 펄펄 뛰는 개구쟁이 뒹구는 눈길도 있다. 걸을 때마다 뽀드득 소리 반주 삼아 걸어야 하는 겨울의 눈길을 어찌 빼놓을 수 있으랴.

어쨌든 걷는 길이 무수히 많지만 한 번 걸었다가 다시 되짚어 올 수 있는 길들이다. 어떤 길이건 마음을 두고 왔으면 되짚어 다시 걸어 볼 수 있는 길이다.

허나, 천하 바보의 그림자였던 모나리자 미소의 내 반쪽 여인이 간 길은 돌아올 수 없는 길이었다. 뭐 그리 급하다고 서둘러 아, 글쎄 영영 돌아올 수 없는 길을 가버리고 말았다. 영원히 돌아올 수 없는 그 머나 먼 길을 돌아보지도 않고 훌쩍 떠나고 말았다.

기축년 9월 27일은 하늘의 해도 달도 다 빛을 잃은 하루를 온통 어둠으로 뒤덮었다. 별 하나 없는 칠흑의 어둠에 들리는 건 천지를 진동하는 통곡소리밖에 없었다. 그건 통곡소리라기보다는 절망의 늪에서 부르짖는 산 자의 비명 같은 절규의 몸부림이었다. 산책길 에 영업용택시로 받힌 내 반쪽의 그림자가 말 한 마디 못하고 어둠 속에 묻혀가고 있었다. 생사의 명암이 엇갈리는 순간이었다.

아 글쎄 가버렸어요. 멍든 가슴 휘저어 놓고 가버렸어요. 7남매 장남 아내자리 누가 하라고, 자리만 남겨놓고 가버렸어요. 한 이불 같이 덮던 서른여섯 해 뒤로 하고 매정하게 가 버렸어요. 바보 남 편 가슴에 대못만 박아 놓고 말 한 마디 없이 그냥 가버렸어요. 학 교밖에 모르던 바보남편 반성시키느라 아, 글쎄 떠나고 말았어요.

바보 남편 TJB 교육대상 받을 때 그렇게 좋아하던 내 반쪽 바람처럼 사라지고 말았어요. 가난 속 7남매 장남 아내 하느라 지지고 볶는 어려운 날들이었는데 아, 글쎄 가 버렸어요.

현대판 한석봉 엄마노릇 하면서도, 바가지 한번 긁잖고 맘 편케 해주더니, 아, 글쎄 가 버렸어요. 나이에 떠밀려 철들어 가는 남매를 울려 놓고 가 버렸어요. 형수자리, 올케 자리, 누구더러 어떡하라고 그냥 가버렸어요. 31번 이사에 그 많은 이삿짐 혼자 싸고 들어온 새집 살만하니 아, 글쎄 가 버렸어요.

아들딸 낳은 기쁨에 온갖 시름 잊고 살던 그 천사가 아이들 철이 들 만하니 아, 글쎄 가 버렸어요. 새 며느리감 인사하는 상견례 자리에서 그렇게 예뻐하고 사랑스러워 붙든 손 놓지 못하던 애들 엄마가, 아, 글쎄 가버렸어요.

예식 날짜 잡아놓고 그 3개월도 안 되겠는지 아, 글쎄 가버렸어요. 평생 처음 관광지 뉴질랜드서 베이비 램 상의 하나 사 주었더니 그걸 아끼느라 옷장 속에 넣어 두고 한 번도 입어보지 못한 채 아, 글쎄 가 버렸어요.

사고 치는 학생 문제로 내 힘들어 하고 고민할 때 〈 힘 내세요. 당신 곁엔 우리가 있잖아요. 추운 겨울 지나면, 꽃피는 봄날은 어김없이 올 거요. 〉하며 해맑은 미소로 응원하던 그 천사가 아, 글쎄 가버렸어요.

서른여섯 해 한 이불 덮고 사는 동안 고생만 시키고 잘 해 준 것 하나 없는데, 아, 글쎄 가버렸어요. 옷 한 벌 제대로 입히지 못하고, 꽃 한 송이 제대로 사 준 적이 없는데 난 어떡하라고 아, 글쎄 그냥그냥 가 버렸어요.

못 살 거 같은 세월인데 12월 12일은 어김없이 돌아왔다. 아들 장가가는 날이었다. 하늘의 해와 달과 별이 모두 빛을 잃은 날이 9월 27일이었으니 채 3개월도 안 되는 혼삿날이 돌아온 거였다.

예식장은 서울 영등포에 있는 번화가였다. 혼주 자리엔 넋이 나간 환자 같은 사람이, 옆 빈자리는 큰 처제가, 아내 대행으로 하객을 맞았다. 천상의 울보도 어쩔 수 없었는지 이를 악물었는지 나오는 눈물을 참느라 안간 힘을 쓰고 있었다.

하지만 어쩐지 즐겁고 기뻐해야 할 혼인집 분위기는 아닌 듯 싶었다. 눈물만 흐르지 않았지 초상집 상주 같은 표정으로 하객을 맞는 것임에 틀림없었다.

그런 대로 잘 참았던 눈물이, 예식 마지막 절차인 신랑신부가 양가 부모님께 인사하는(절하는) 자리에서 탁 터지고 말았다. 장전된 눈물이 소나기처럼 쏟아지며 훌쩍거리고 있었다. 순식간에 여기저기서 훌쩍거리는 소리가 들려 왔다. 순식간에 혼인집 분위기가 초상집으로 바뀌었다. 기뻐해야 할, 아들 장가가는 날을 그렇게 초상집 분위기로 만든 장본인은 바로 이 울보였다.

허구 많은 혼삿집 중에서 기쁜 날을 훌쩍거리는 눈물로 마무리한 그런 사례는 우리 집이 전대미문의 화제 거리가 될 것이다.

아, 글쎄, 그냥그냥 가 버렸어요.

때를 놓친 만시지탄의 후회는 해 봐야 소용이 없다. 붕어빵 하나라도 스카프 하나라도 있을 때 사주어야 한다. 감사하는 마음, 보듬어 주는 마음, 사랑하는 마음은 있을 때 표현해야 한다. 아내 덕분에 시답잖은 철학가가 다 된 거 같다.

'있을 때 잘해.' 아, 글쎄, 그냥그냥 가 버렸으니 난 어떡하지…![75]

라. 꽃이 아니다

"저 나무에 핀 꽃들을 따라가시오. 꼭 나무에 핀 꽃들만 따라가야 해요. 꽃들이 다 지면 아마 원하는 곳에 다다르게 될 거요."

동백에서 목련으로, 활짝 꽃 핀 산벚나무에 이르기까지 봄은 달리고 또 달린다.

할머니는 볕 좋은 툇마루에 마늘 몇 톨이 담긴 양푼을 내려놓는다.

손 심심한데 이거나 까면서 얘기하자고. 내 이름? 그건 알아 뭐하게. 여자들 이름이야 온순하게 살라고 순이, 깨끗하게 살라고 숙이, 어쩌다가 꽃부리 영자를 써서 영이 그런 거지. 우리 때는 섭섭이나 언년이 아니면 다행이었지. 세상이 달라져서 제일 좋은 건 집안에서 물 나오는 거, 전기밥솥이 밥해주는 거, 세탁기가 빨래 돌려주는 거지. 겨울마다 새벽에 물 길으러 가는 길이 고역이었지. 고무장갑 같은 게 있나, 찬물에 걸레를 빨면 손이 시퍼렇게 얼었어. 그러다가 동백이 피기 시작하면, 내가 왜 여기에 붙박여 있나, 보따리 싸서 서울 갈까, 그랬어. 열서너 살 때부터 동무들이 죄다 가버리니 거기가 좋은 곳인 줄 알았지. 지금은 안 좋냐고? 몰라,

75) 남상선, 김의화. 아, 글쎄 그냥그냥 가 버렸어요, 중도일보, 2022. 2. 4.

가봤어야 알지. 저기 봐봐. 문풍지에 꽃잎들, 채송화, 제비꽃, 코스모스, 행운의 네 잎 클로버. 내가 말려서 붙여놓은 거야. 물지게 안 져도 되면서부터 만들기 시작했어. 동백? 시뻘건 거 안 예뻐. 마음만 아려. 분홍, 보라, 노랑 그런 게 이쁘지.

한 번도 고향을 떠나본 적이 없다는 할머니와 달리, 철원에 살던 이모는 의정부에서, 용인에서, 서울에서, 인천에서 종종 발견되었다. 이모는 결혼했으나 언제부터인가 남편과 함께 살지 않았다. 이유는 알려지지 않았다. 첫차를 타고 나가 청량리의 어느 파출소에서 앉아 있던 이모를 데려온 엄마는 대문 안으로 들어서자마자 소리를 지르기 시작했다. 언니는 왜 다른 건 다 잊었으면서 우리 집 전화번호만 기억하고 있는 거야. 왜 이렇게 나를 괴롭히는 거야. 마당 한구석에 우두커니 선 이모는 어깨가 좁고 가냘팠다. 아이를 낳지 않아 날렵한 몸이라고 엄마는 말하곤 했다. 어린 나무 같은 그 모습이 마지막이었나. 홀로 거리를 헤매던 이모나 고모들은 목소리도 없이 문득 사라지고 만다. 다들 어디로 갔을까. 어느 봄날 막다른 골목에 서서 담장 너머로 함박 울음 같은 꽃잎을 후드득 떨구는 목련을 바라보고 있을까.

"여자들이 공간을 거의 차지하지 않는다는 이유로, 거의 사라질 지경이라는 이유로 칭찬받는 것은 놀라운 일이 아니었다."
너는 늘 달리려고 했지.

그러는 넌 그 자리에 서 있으려고만 했어. 어두운 골목에서, 대낮의 거리에서까지 누군가가 너무 가까이 다가올 때 몸이 굳어지는 두려움을 너는 아니? 너무 눈에 띄어서는 안 되고 너무 보이지 않아도 안 된다는 걸, 아무도 믿어서는 안 되고, 나 자신도 믿어서는 안 된다는 걸, 늘 마음속에 새기고 살아야 한다는 움츠림을 너는 아니? 언젠가는 영화에서, 시에서, 소설에서 심지어 팝송 가사에서처럼, 이제는 디지털 세상에서조차 아무도 돌아보지 않는 고통 속에서 죽어갈지도 모른다는 어두운 상상을 너는 아니? 한 번이 아니라 두 번 세 번 영원히 반복되는 소멸을 너는 아니? 누군가는 우리의 고통을 즐기고 있다는 두려움, 그 속에 갇혀 정신이 혼미해진 채 세상이 온통 함정과 지뢰밭처럼 느껴지는 황폐함을 너는 아니?

돌아오지 않는 응답을 기다리며 달린다. 두려움에서 벗어나 뒷걸음치지 않기 위해 달린다. 우리는 꽃이 아니다. 불꽃이다.

멀리서 달려온 봄이 산벚나무에 도착한다. 연분홍 벚꽃이 연두의 새잎과 함께 하나둘 피어난다. 꽃그늘이 환하다. 고개를 들어보면, 꽃은 그저 꽃이 아니다. 잎이, 가지가, 줄기와 뿌리가 모두 나무인 것처럼, 꽃은 나무다. 겨울을 통과한 나무가 아직 살아 있음을 알리는 신호이다. 살아가야 한다는 열망이다.[76)]

---

76) 부희령. 꽃이 아니다. 경향신문. 2022. 3. 24.

마. 그렇게 된 나의 인생

　해진다. 나는 걸어서 마을 밖으로 나간다. 마을에서 떨어진 길가 모정에 앉아 강물을 바라보고 있는 한 사람을 만났다. 인사를 하며 어디 사느냐고, 물었다. 이웃 마을에 사는데 선생님 제자라고 해서 놀랐다. 그냐? 하며, 반갑게 악수하였다. 자기 이름을 말하며 수줍어한다. 제자 아버지는 허리가 몹시 굽었었다. 짧은 머리에 유순해 보이는 얼굴이지만 어떤 때는, 영화 속의 동학농민군들이나 흑백사진 속 독립군 단체 사진 얼굴처럼 속내를 쉽게 드러내지 않은 공동의 신념이 얼굴에 스쳐 갈 때도 있었다. 달구지로 나무도 해 나르고 보리도 벼도 실어 날랐다. 나는 그 어른이 어쩐지 좋았다. 제자는 시내버스 운전한단다. 정년이 6년 남았단다. 내가 아버님을 속으로 좋아했다고 말했다. 제자의 얼굴이 환해지는 것을 봤다. 사회적인 공분을 살만한 일과는 상관없는 삶을 살아온 선량한 시민의 얼굴이다. 우리 집에 한 번 들려라. 아버지 사진이 나온 책이 있다고, 했다.

　조금 걸어갔더니, 다른 제자가 비닐하우스 일을 하고 있다. 나는 저 제자 아들도 가르쳤다. 그때 내가 가르쳤던 아이를 닮은 아이가 있어서 사진 찍어 준다고 했더니, 길로 쪼르르 뛰어 올라왔다. 이름을 물었더니 이름을 말하고는, 아버지가 힘들게 지었단다. 내가 웃었다. 아이는 2학년이다. 자기는 공부를 아주 열심히 잘한다고 말했다. 할아버지는 누구냐고 물었다. 네 아버지와 네 큰 형을 가르쳤다고 했다. 어디 가냐고 했다. 저기, 간다고 했다. 비가 온다고 했냐고 내게 물었다. 모르지만 비는 올 것 같지는 않다고 하늘을 보며 말했다. 버스를 타고 학교에 다닌다고 했다. 어디 가냐고 또 물었다. 우리 이야기는 한도 끝도 없이 이어진다. 내용은 별로 없다. 오랜만에 2학년 학동과 몸짓 손짓 발 짓을 해가며 큰 소리로 떠들며 이야기했다. 둘이 크게 웃기도 했다. 막힌 데 없이 이어지는 유쾌하고 활발한 담소(?)다. 나는 2학년을 20여 년 가르쳤다. 그럼, 나는 이제 그냥 가보겠다고 했다. 또 어디까지 가냐고 했다. 그러다가 아, 아까 말했지, 하며 할아버지는 어디 사냐고 했다. 저기 산다고 우리 마을이 있는 곳을 가리켰다. 언제 놀러 오라고 했다. 그런다고 하는 아이에게 나, 이제 가도 되냐고 확실하게 물었다. 어디까지 가냐고 또 물었다. 귀여워서 또 사진을 찍었다. 두 손가락을 펴서 브이 자를 만들어 눈에 대고 이이이, 하고 억지로 웃다가 진짜로 히히 웃었다. 앞니가 모두 빠졌다. 그때 아이 아버지가 선생님, 그 녀석하고 이야기하다 보면 한도 끝도 없으니 그만 가시라고 했다. 그러면서 할아버지 바쁘신 분이다. 그만 보내 드려라. 그럼 간다고 하고 빨리 걸어갔다.

돌아오면서 보니, 아이가 아버지 트랙터에 타고 있다가 큰 소리로 지금 아버지가 창고 만든다고 물어보지도 않은 말을 했다. 아이 형이 생각났다. 이 아이 형은 미니포크레인도 운전할 줄 알았었다. 아버지의 잔심부름은 다 하였다. 나는 하교할 때 아이에게 주려고 이따금 아이스케키를 사 들고 가기도 했다. 빈손으로 만난 어느 날 돈도 2천 원 준 기억이 난다. 그럼 나가볼게, 안녕! 근데 할아버지 집이 어디예요. 아까 말했어도 또 저기 저쪽 산 아래 있어. 언제 놀러 와, 그랬더니, 큰 소리로 우리 형 알아요, 한다. 내가 형을 가르쳤다고 나도 크게 말했다. 그럼, 이제 진짜로 가볼게. 오늘 정말 반가웠어. 잘 있어. 날이 어두워졌다. 강둑길 풀밭에 밤바람이 불었다. 이것은 나의 인생! 오다가 뒤돌아보았다. 아이가 크게 손을 흔든다.

이 길은 나의 길이다. 초등학교 6년 선생으로 31년 나는 이 강물을 거스르고 때로 따르며 순응과 거역을 배우고 자유를 얻는다. 지금도 나는 이 길을 걷는다. 나는 이렇게 이 길에서 하얗게 늙어가고 싶었다. 그런데 그렇게 되었다.

자다 깼다 새벽이다. 창가에 달이 떠 있어서 놀랐다. 달이 나를 보고 있다. 좋아하였다. 아까 본 아이 생각이 났다. 나는 조각달 오목한 곳을 가만히 베고 잔다. 새는 소쩍새, 밤에 새가 운다. 나는 저 새 소리로 내게 주어진 삶을 괴로워하기도 하고 기뻐하기도 한다. 고쳐 눕고, 다시 잔다.[77]

---

77) 김용택, 그렇게 된 나의 인생, 전북일보, 2024. 6. 20.

살과 삶, 사람과 사랑에 관하여

여기 아주 간단한 등식이 있다. 삶+사랑=살다. 영어에도 놀라울
정도로 똑같은 식이 있다. life+love=live. 삶에 사랑을 더하면 산다
는 뜻이 된다. 다르게 말해 삶에 사랑이 없으면 살아도 사는 게 아
니다. 동사 '살다'에 살을 입히면 사람이라는 구체 명사가 된다.
즉, 살다와 사람은 품사는 다르지만 뜻이 같은 하나의 낱말이다.
때문에 살다의 자리에 사람이 와도 의미상 아무런 걸림이 없다. 삶
+사랑=사람. 사람은 사랑하는 삶을 살 때 비로소 사람이 된다는 뜻
이다. 존 레논이 노래한다. "Love is Wanting, Asking, Needing to
be Loved." 사랑하는 것은 곧 사랑받는 것이니 사람은 사랑받는
삶을 원하고, 요구하고, 갈구할 때 진정한 사람이 된다.

사랑은 사람과 사람이 서로의 살을 맞대고 사는 일에 다름 아니
다. "Love is touch, touch is love." 살과 살의 만남이라는 사랑
의 실재에 온갖 긍정적인 혹은 그 반대되는 속성을 덧입혀서는 안
된다. 소망, 욕망, 원망, 희망, 절망에 함몰되어 어느 하나만 투영하
는 것은 이상이나 관념이지 실재가 아니다. 살은 따뜻하고 부드럽
다. 하지만 세월과 관계의 풍화가 살을 차갑고 거칠게 만들기도 한
다. 살은 따스하고 촉촉한 남풍이 되어살을 보듬고 마음을 환히 열
게도 하지만, 싸늘하고 메마른 북풍이 되어 상처를 입히고 마음을
엄히 여미게도 한다.

사랑을 잃고 나는 쓰네 / 잘 있거라, 짧았던 밤들아 / 창밖을 떠
돌던 겨울 안개들아 / 아무것도 모르던 촛불들아, 잘 있거라 / 공

포를 기다리던 흰 종이들아 / 망설임을 대신하던 눈물들아 / 잘 있거라, 더 이상 내 것이 아닌 열망들아/ 장님처럼 나 이제 더듬거리며 문을 잠그네 / 가엾은 내 사랑 빈집에 갇혔네 〈빈집〉, 기형도

　사랑과 상처는 서로 멀리 거리를 두고 있는 듯하나 때로는 거울을 마주 보듯 가까워 상처가 사랑의 반영이 되기도 한다. 치유 역시 그러하다. 사랑은 때로 둘 모두를 비치기도 하고, 이따금씩 그 모두에게서 등을 돌리기도 한다. 사랑은 사람의 마음만큼이나 순일한 것으로 헤아릴 수 없는 모순의 그 무엇. 내 의지의 방향과는 아랑곳 없이 바람처럼 지나고 비처럼 내리는 것. 그러니 사랑을 붙잡으려 들지 말고 사랑에 나를 맡기는 수밖에, 들판의 꽃들이 그러하듯이.

　흔들리지 않고 피는 꽃이 어디 있으랴 / 이 세상 그 어떤 아름다운 꽃들도 /다 흔들리면서 피었나니 / 흔들리면서 줄기를 곧게 세웠나니 / 흔들리지 않고가는 사랑이 어디 있으랴 / 젖지 않고 피는 꽃이 어디 있으랴 / 이 세상 그 어떤 빛나는 꽃들도 / 다 젖으며 젖으며 피었나니 / 바람과 비에 젖으며 꽃잎 따뜻하게 피웠나니 / 젖지 않고 가는 삶이 어디 있으랴 〈흔들리며 피는 꽃〉, 도종환

　사랑은 핏기 없이 파리한 한갓 관념이 아니라, 모니터를 끄면 네트워크 너머로 사라지는 허상 따위가 아니라 손 닿는 곳에 있는 살의 존재를 필요로 한다. 나 또한 사랑은 내 살을 기쁘게 내주고 네 살을 기꺼이 즐기는 물리적인 교감이다. 이 교감은 사람 사이뿐만 아니라 다른 생명체, 심지어 사물과의 사이에서도 이루어진다. 사랑은 대상을 한정 짓지 않는다. 하여 내가 어루만지고 또한 나를

어루만지는 대상은, 맞닿음의 과정을 거치면서 더 이상 상대이기를 그치고 서서히 내 몸 깊숙이 들어와 나의 절대가 되기에 이른다.

만년필의 노쇠와 함께 내 몸의 노쇠 현상이 갑자기 나타나기 시작했다. 글만 쓰려면 허리가 비비 꼬이게 아프고, 늑간이 뜨끔뜨끔 쑤시면서 누울 자리만 보이고, 글쓰기가 죽기보다도 싫어지는 것이었다. 〈나의 만년필〉, 박완서

패스트 패션, 유튜브 먹방, 아파트 재개발 현상에서 드러나듯 우리는 의식주를 삶의 동반자로서 존중하지 않는다. 그러면서도 맹종하듯 섬긴다. 집착하지만 애착을 갖지 않는다. 의식주 사이의 성긴 틈을 채우고 있는 수많은 사물들에도 그러하다. 사물과 사람 사이, 검질긴 숙성의 시간을 두고 서로의 살을 나누는 속정 깊은 관계를, 그리고 그 관계의 수명이 다했을 때 저녁놀처럼 마음을 검붉게 물들이는 상실감을 우리는 잊고 산 지, 잃어버린 지 오래. 다른 사람과 생명과 사물들을 내몸과 같이 사랑하고 존중하는 마음가짐, 그 진중한 삶의 태도는 유물에 지나지 않는 걸까.

이해의 이(理)는 다스린다는 뜻이다. 해(解)는 헤친다는 뜻이다. 영어 단어 Comprehend는 완전히 com 붙잡다 prehend는 뜻이다. 상대를 내 의지로 파악하려는, 주체와 객체의 이분법이 적용되는 단어다. 롤랑 바르트는 이해를 "당신을 인간으로서가 아니라 힘으로 정의하려" 드는 것이라 지적했다. 그러하니 이해는 사랑의 선결조건이 될 수 없다. 사랑하면 더 알고자 하지만, 더 많은 앎과 이해가 사랑의 깊이까지 더해주지는 않는다. 사랑은 전면적인 받아들임이다. 동시에 절대적인 내어 드림이다. 오체투지의 순례길. 이

길이 우릴 이끄는 곳은 알 수 없는 앎에 다다른, 부지(不知)가 아닌 무지(無知)의 경지다.

사랑하면 할수록 더 잘 이해하게 된다는 말은 사실이 아니다. 사랑의 행위를 통해 내가 체득하는 지혜는, 그 사람은 알 수 있는 사람이 아니라는 것이다. 그리하여 나는 미지의 누군가를, 그리고 영원히 그렇게 남아 있을 누군가를 열광적으로 사랑하게 된다. 나는 알 수 없는 것의 앎에 도달한다. 알 수 없는 대상 때문에 자신을 소모하고 동분서주하는 것은 순전히 종교적인 행위다. 수수께끼로 만든다는 것은 곧 그를 신으로 축성하는 것이나 다름 없다. 나는 그가 던지는 질문을 결코 풀어헤칠 수가 없다. 따라서 내게 남은 일이라곤 내 무지를 진실로 바꾸는 일뿐이다. 〈사랑의 단상〉, 롤랑 바르트

내가 너희를 사랑한 것 같이 너희도 서로 사랑하라. 이 말을 하기에 앞서 예수는 무릎 꿇고 허리 굽혀 제자들의 더러운 발을 손수 씻겨주었다. 그로 인해 서로 사랑하라는, 무심히 흘려 넘길 수도 있는 예사로운 말에 결코 심상치 않은 근엄함의 무게가 더해졌다. 사랑하기 힘든 것을, 사랑할 수 없는 이를 사랑하라는 깊은 뜻도 진하게 배어들었다. 이 낮은 언명이 오랜 세월을 거쳐 지금까지 그윽이 빛날 뿐만 아니라 따스함까지 전해주는 건 그 손의 온기가 아직 남아 우리의 발을 어루만지고 있기 때문이리라.

빛과 그늘은 어디에나 있다. 세상 안에도 있고 자기의 삶 안에도 있다. 그늘보다는 빛을 사랑하고 밝은 곳을 찾아가는 것이 세상과 사람 사는 일의 당연한 순리다. 하지만 때로 세상의 그늘진 곳들을

눈여겨보는 일이 필요하다. 지금은 망각해버린 찬란한 세상에의 꿈을 거기에서 다시 기억할 수 있기 때문이다. 또 병든 몸처럼 삶이 처한 그늘진 곳을 새삼 돌아보는 일도 중요하다. 다름 아닌 거기가 그동안 살아보지 못한 다른 삶이 날개를 푸덕이는 둥지이기도 하기 때문이다. 〈낯선 기억들〉, 김진영

철학자는 병마로 고통 받는 자신의 몸을 사랑했다. 그렇지 않고야 삶이 자신을 놓을 때까지 손에서 펜을, 사유의 끈을 놓지 않았을 리가 없다. 어둔 밤 창틀에 켜둔 작은 램프 같은 사랑의 언명: 그늘진 곳을 사랑하자. 이 나직한 빛은 한 사람의 병든 몸이라는 영역을 벗어나 세상 안으로, 저마다의 삶 안으로 서서히 퍼져나가기 시작한다. 그런데 왜일까, 빛이 아닌 그늘을 품어야 하는 건. 찬란함이란 찰나의 절정처럼 한순간 빛나고 덧없이 사라지지만 음예의 공간은 이 빛을 파수꾼처럼 머금고 간직해 아름다움을 온전히 되찾게 해주는 둥지이기 때문이다. 그늘을 품는건 그 둥지에 대한 기억을 되살리는 일이다. 밤새워 폭우 지나고 찾아온 빛들의 충만함. 이는 곧 사랑의 환희. 사랑의 환희는 성공과 행복을 약속하는 광휘로 충만한 환영의 세계와는 다르다. Love is Real, Real is Love.[78]

---

78) 박정훈, 전희란, . 살과 삶, 사람과 사랑에 관하여, BOOK&ART, 2024. 5. 2.

Ⅲ. 나가는 글

언젠가 구두 속에 조그마한 돌멩이 조각이 들어간 적이 있다. 신발을 신으면 발가락을 건드리고, 계단을 오르면 발바닥 한복판을, 또 한 칸을 오르면 뒤꿈치에 박히는 것이 여간 시경 쓰이는 게 아니었다.

'빼야지, 빼야지.' 마음을 먹어도 몇 발짝 걸으면 신발을 벗고, 도 신어도 다시 몇 발짝을 걸으면 또 벗기를 반복하다보니, 그 조그만 돌조각 하나를 신발에서 빼내기까지 아주 오랜 시간이 걸렸다.

매일 신발을 신고 발걸음을 옮길 때마다 나를 괴롭히던 돌멩이를 신발에서 빼내던 날 그 조그마한 조각의 실체를 본 순간 나는 사실 상당히 허탈했다.

이 조그만 돌조각 하나 때문에 한 발 한 발 내딛는 발걸음이 그리도 아프고 조심스러웠구나. 이 돌조각이 이리도 조그맣기 때문에, 신발을 벗으면서도 그 존재를 잊었을 수도 있겠구나. 하는 생각들. 신발 안에 들어간 돌조각 하나.[79]

지나온 70년을 떠올리며 눈살을 찌푸렸다. 생각만 해도 지긋지긋하게 어둡고 더올리기 싫은 기억들만 스멀스멀 피어났다. 나의 과거는 검은 연기에 휩싸여 악취가 났다. 그래서 그 오물같은 기억들

---

79) 이정희. 평범한 삶, 경기: 부크크, 2017: 1.

을 책을 통해 다 쏟아내고 봉인해 버리려고 했다. 나는 내 과거를 끔찍하게 싫어했다. 누가 나의 가정사, 나의 어린 시절을 물으면 최대한 입을 다물려고 했다. 그것을 낱낱이 까뒤집어 불리수거를 해야 앞으로 30년을 잘 살 수 있을 것 같았다.[80] 그래서 내가 태어났을 때부터 모든 기억을 『나의 삶을 말하다』 『나의 삶, 인류학적 이야기』로 옮겨 놓았다. 그러나 다시 『나의 삶은 행복했는가』로 되물어 보았다.

쓰레기만 있는 줄 알았는데 그건 아니었다. 보석같은 시간들도 방치되어 버려져 있었다. 나의 기억에 오류가 있던 부분도 있었고, 피해의식을 갖고 있던 영역도 있었다. 잘 닦아 관리하면 좋은 기억이 될 수 있었던 것도 많았다. 머릿속 기억의 방을 차곡차곡 정리하면서 마음의 여유를 찾기도 했다. 나의 새로운 면을 발견하기도 하고, 너무 나쁜 것들만 가득한 것은 아니었음을 깨달았다. 그래서 내 마음이 움직여 인생에 있어 행복과 불행의 진정한 의미를 깨닫게 했구나라고 생각했다.

이 글을 쓰면서 나의 다가올 30년이 기대된다. 그때의 나는 고희(古稀) 70살부터 팔순(八旬), 구순(九旬), 100살까지를 어떤 삶으로 정리해 나갈까. 상수(上壽)인 100살에는 행복하게 자서전을 쓰고 싶다. 사랑하는 사람과 상수(上壽)를 보내고 120살 천수(天壽)를 누릴 수 있다면 더 좋고.

---

80) 김산만. 서른살, 섣부른 자서전, 서울: 부크크, 2022: 117.

참고문헌

江原大學校 師範大學 體育教育科 20年史. 내가 다시 대학생이 된다면, 춘천: 강원출판사, 1989: 50-51.

강원도체육회. 강원체육사, 춘천: 강원출판사, 2012.

강형란. 삶, 행복 그리고 사랑, 서울: 부크크, 2022.

김사인. 어린 당나귀 곁에서, 서울: 창비, 2015.

김산만. 서른살, 섣부른 자서전, 서울: 부크크, 2022.

고진하. 어린 야만을 용서하다, 서울신문, 2017. 5. 23.

김기석. 하늘만은 남겨두자, 경향신문. 2024. 6. 13.

김경목. 1953년 국군의 모습, 뉴시스, 2014. 10. 04.

김민기. 젊을 때 이혼·실직하면 노년기 치매 위험 커진다, 조선일보, 2024. 5. 19.

김병기. 호학(好學), 중앙일보. 2023. 12. 28.

김범준. 아지랑이, 경향신문. 2024. 5. 22.

김석수. 2009년 11월 5일. 강원도 우슈협회사무실.

김선우. 내 혀가 입 속에 갇혀 있길 거부한다면, 서울: 창비, 2004.

김영미. 그들의 새마을운동, 서울: 푸른역사, 2009.

김용수. 자서전 쓰기, 서울: 부크크, 2022.

김용수. 나의 삶, 체육·스포츠를 말하다. 서울: 부크크, 2022.

김용수. 나의 삶과 체육·스포츠, 인류학적 이야기, 서울: 부크크, 2022.

김용수. 나의 삶, 자서전 쓰는 법, 서울: 부크크, 2023.

김용수. 발락고개, 서울: 부크크, 2024.

김용수. 자서전을 쓰면서 행복 찾기, 서울: 부크크. 2024.

김용수. 나의 삶을 말하다, 서울: 부크크, 2024.

김용수. 나의 삶, 인류학적 이야기, 서울: 부크크, 2024.

김용택. 그렇게 된 나의 인생, 전북일보, 2024. 6. 20.

김창섭. 2009년 11월 7일. 강원도 임계고등학교 체육실.

김해동. 2009년 11월 3일. 강원도 충효체육관 사무실.

김홍수. 2009년 3월 17일. 강원도 충효체육관 사무실.

김애자. 춘매(春梅), 새벽이슬, 2024. 3. 4.

김일환, 이형근. 다시돌아 보는 4.19 혁명, 대검찰청 블로그, 2013. 04. 17.

김태길. 가족, 결혼, 남녀, 철학과 현실, 1994: 113-129.

김찬호. 허세에서 고백으로 경향신문, 2021. 10. 7.

김찬호. 생애의 발견, 서울: 인물과사상사, 2010.

김행숙. 멀고 먼 숲, 서울: 책만드는 집, 2014.

김혜숙. 교육의 국제 경쟁력 강화와 경쟁 논리」, 철학과 현실, 1994: 134-136.

노태영. 야 이놈들아! 시방 뭐하는 겨, 오마이뉴스, 2005. 01. 07.

남상선, 김의화. 아, 글쎄 그냥그냥 가 버렸어요, 중도일보, 2022. 2. 4.

남궁인. 지독한 하루, 서울: 문학동네, 2017.

류시화. 외눈박이 물고기의 사랑, 서울: 무소의뿔, 2016.

박명선. 박명선 자서전, 서울: 부크크, 2022.

박진용. 바보야, 대전일보, 2024. 4. 3.

박영준. 스케치. 경기: 부크크, 2018.

박민정. 국민영양제 '원기소' 사라진다, 뉴스파인더, 2017. 08. 16.

복 길. 내가 살던 고향은, 경향신문, 2022. 02. 17.

복효근. 운동장 편지, 서울: 창비교육, 2016.

변재원. 아이고, 잘못 탔다, 경향신문, 2024. 6. 17.

배한봉. 주남지의 새들, 서울: 천년의 시작, 2017.

부희령. 꽃이 아니다, 경향신문, 2022. 3. 24.

신미나. 당신은 마음밭에 무엇을 심겠어요?, 국민일보, 2024. 6. 28.

안성학. 그 사람은 돌아오고 나는 거기 없었네, 서울: 실천문학사, 2014.

오민석. 그리운 명륜여인숙, 서울: 시인동네, 2015.

오민석. 잘 살 권리와 사회적 사랑, 중앙일보, 2018. 6. 11.

오은. 요리와 글쓰기, 경향신문, 2024. 6. 12.

왕인근. 농촌의 발전, 서울: 서울대학교 출판부, 1995.

유형재. 강릉 학산오독떼기 모내기 재연, 연합뉴스, 2008. 5. 23.

유병길. 한복의 멋.... 그때가 그립다, 시니어매일, 2021. 4. 7.

유병길. 집집마다 울려 퍼진 다듬이 소리, 시니어매일, 2021. 4. 14.

유병길. '밀 서리'의 향수, 시니어매일, 2021. 06. 02.

유병길. 아련한 추억이 가물가물, 참새잡기, 시니어매일, 2021. 05. 12.

유병길. 잡초와 제초제의 전쟁, 시니어매 일, 2021. 7. 5.

유병길. 늦모내기와 밀수제비, 시니어매일, 2021. 7. 13.

유병길. 민간요법으로 치료하던 신통한 묘약들, 시니어매일, 2021. 7. 26.

임의진. 전화교환원, 경향신문, 2021. 10. 21.

이기수. 노란봉투의 꿈, 경향신문, 2021. 9. 1.

이상경. 갈팡질팡하더라도 갈 만큼은 간다, 서울: 양철북, 2011: 43~44.

이서영. 사랑으로 떠나는 인문학 여행-오쇼 라즈니쉬 사랑과 성숙에 대하여- , 솔아북스, 2016.

이정희. 평범한 삶, 경기: 부크크, 2017: 48-51.

이정희. 삶, 꽃으로 피다. 서울: 부크크, 2022.

임의진. 알통, 경향신문, 2021. 02. 25.

임영택. 당신은 왜 그렇게 사십니까?, 충북일보, 2024. 3. 5.

임희구. 소주 한 병이 공짜, 서울: 문학의 정당, 2011.

장현정. 학교는 절대 멈춰선 안된다, 강원일보, 2020. 9. 4, 18면.

조상윤 외. 나는 꽃, 글래스하퍼 크리에이티브, 2016: 3.

정지아. 삐뚤이 할매, 경향신문, 2024. 6. 20.

정진권. 이상한 나라의 이상한 학교, 철학과 현실, 1994: 270-271.

정재찬. 우리가 인생이라고 부르는 것들, 서울: ㈜ 인플루엔셜, 2023.

지정숙. 지정숙 자서전, 서울: 부크크, 2020.

최지인. 나는 벽에 붙어 잤다, 서울: 민음사, 2017.

철학과 현실, 1990년 봄호, 장을병, 대학의 민주화, 1990: 36-37.

철학과 현실, 1990년 봄호, 황필호, 대학 교수론, 1990: 44.

철학과 현실, 1990년 봄호, 유병석, 동진공화국, 1990: 278-281.

하성란. 막다른 골목에 서다, 한국일보, 2009. 12. 21.

하정희, 서유진, 송정빈, 오모. 주말 7시, 서울: 주식회사 한태, 2022.

한무경. 또 다른 '젊은 나' 꿈꾸며, 매일경제, 2017. 6. 26.

한숭희. 불로소득이 판치는 세상과 학교 공부 경향신문, 2021. 4. 15.

함성중. 인생 이모작, 제주일보, 2022. 12. 15.

허윤숙. 달고나와 이발소 그림, 경기: 시간여행, 2022.

허윤숙. 장은석. 달고나와 이발소 그림. 경기: 시간여행, 2022.

허은실. 나는 잠깐 설웁다, 서울: 문학동네, 2017.

허연. 내가 원하는 천사, 서울: 문학과 지성사, 2012.

윤상호, 박상석. 어릴 적 운동회를 그려본다, 한국체육사학회지, 2015: 12.

조문윤(趙文潤), 왕쌍회(王雙懷)/김택중, 안명자, 김문 옮김(2004). 무측천 평전, 서울: 책과 함께

기시미 이치로(岸見一郎)/전경아 옮김(2022). 아직 긴 인생이 남았습니다. 서울: 한국경제신문.

이와나미(岩波)/박선양 역(2000). 나의 정년 후, 서울: 이진출판사.

후지다 다카노리(藤田孝典)/홍성민 역(2017). 과로노인, 서울: 청림출판.

후쿠자와 유키치(福澤諭吉)/허호 옮김(2010). 후쿠자와 유키치 자서전, 서울: 이산.

그레고어 아이젠하우어(Gregor Eisenhauer)/배명자 옮김(2015). 내 인생의 결산 보고서, 서울: 책세상.

로맹롤랑(Romain Rolland)/이정림 옮김(2007). 위대한 예술가의 생애, 경기: 범우사.

루스 마틴(Ruth R. Martin)/이효선 옮김(2005). 사회복지실천에서의 구술사, 경기: 양서원.

린다 스펜스(Linda Spence)/황지현 옮김(2008). 내 인생의 자서전 쓰는법, 서울: 고즈윈.

루시 모드 몽고메리(Lucy Maud Montgomery)/안기순 옮김(2007). 루시 모드 몽고메리, 서울: 고즈윈.

마가렛 미드(Margaret Mead)/최혁순, 최인옥 공역(2001). 마가렛 미드 자서전, 서울: 범우사.

마크 트웨인(Mark Twain)/안기순 옮김(2007). 마크 트웨인 자서전,

서울: 고즈윈.

루스 마틴(Ruth R. Martin)/ 이효선 옮김(2005). 사회복지실천에서의 구술사, 경기: 양서원.

벤저민 프랭클린(Benjamin Franklin)/강주현 옮김(2022). 벤저민 프랭클린 자서전, 서울: 현대지성.

살바도르 달리(Salvador Dali)/이은진 옮김(2005). 살바도르 달리, 서울: 이마고.

스콧 니어링(Scott Nearing)/김라합 옮김(2011). 스콧 니어링 자서전, 서울: 실천문학사.

안젤레스 에리엔(Angeles Arrien)/김승환 옮김(2008). 아름답게 나이 든다는 것, 서울: 눈과마음.

에리히 프롬(Erich Fromm)/김석희 역(2012). 자유로부터의 도피, 서울: 휴머니스트.

엘릭 호퍼(Eric Hoffer)/방대수 옮김(2009). 길 위의 철학자, 서울: 이다미디어.

잉에보르크 바흐만(Ingeborg Bachmann)/차경아 번역(1995), 삼십세, 서울: 문예출판사.

지미 카터(Jimmy Carter)/김은령 옮김(2005). 아름다운 노년. 서울: 생각의 나무.

크리스토프 린덴베르크(Christoph Lindenberg)/이정희 옮김(1998). 슈타이너, 서울: 한길사.

키케로(Marcus Tulius Cicero)/오흥식 옮김(2007). 노년에 관하여, 서울: 궁리출판.

한스 크리스티안 안데르센(Hans Christian Andersen)/이경식 역(2020). 안데르센 자서전, 서울: 올재클래식스.

자서전에 대한 결정적인 힘

　정신 분석학은 또한 20세기 자서전에 대한 결정적인 힘이 되기도 했지만, 이 책의 영향력은 많은 면에서 전기의 경우보다 입증하기가 더 어렵다. 최소한 일부 생물학자들에게는, 정신 분석학이 해석의 종합적인 방법이 되었고, 그들은 종종 삶의 전체를 형성하는 것으로 인식되는 사건이나 개인적인 특성을 정의하는 데 초점을 맞추었다. 이런 식으로 자신을 분석할 수 있거나 분석하고 싶어 하는 자서전 작가들은 거의 없었고, 많은 사람들이 실제로 심리 분석학적인 설명에 대해 반대를 표명했다. 그럼에도 불구하고, 자서전에 미치는 정신 분석의 영향은 직접적이고 간접적으로 많은 중요한 방법으로 드러난다.

　그것은 20세기의 자서전에서 부분적이고 종종 결함이 있는 기억의 성격에 대한 관찰과 표현, 그리고 삶에 한번에 심각하게 중요하지만 그럼에도 불구하고 기억할 수 없는 경험들이 있을 수도 있다는 제안들에 대해 매우 충분히 느낄 수 있다. 우리가 완전히 이해하지 못하고 우리가 통제할 수 없는 두려움과 욕망에 의해 우리가 강요 받고 있다는 것을 이해하고 있다. 젊은 시절 자서전 '푸른 화살' 의 저자인 아서 코슬러는 정신 분석학과 그 해석에 대한 회의론을 표명하는데, 이는 '명백히 무관한 사실이 가장 중요한 단서를 만들어 낸다' 는 프로이드의 주장에 동의한다. 코슬러는 '따라서 관련 자료의 선정은 매우 문제가 많고 모든 자서전의 핵심이다.'

라고 쓴다.

자서전은 서술과 구조를 읽을 수 있어야 하지만 정신 분석학의 경우 기억의 흐름, 상상력, 그리고 생각들의(이상적으로) 떠오르는 대로 표현하는 것은 우리의 가장 근본적인 생각, 소망, 방어가 드러나는 방법으로 이해된다.

심리 분석가 아담 필립스와 제이 B폰탈리스는 심리 분석가들의 비판을 받아 왔지만 심리 분석 세션에서 사고와 발언의 놀이를 전달하고자 하는 많은 자서전들이 있었다.

Pontalis는 '말로 하는 자유로운 연관성을 글로 옮기는 것- 갑작스런 리콜, 과도한 변화, 반복되는 담화와 불연속성-은 불가능하다'고 주장한다. 폰탈리스의 관점에서 글쓰기는 항상 '일차적인 과정'의 변화이다.

하지만 20세기 자서전은 심오한 내용을 담고 있으며, 그들이 의식을 발휘하기 시작하면서 생산적으로 다음과 같은 기억의 경로를 따라 형성되었다고 주장할 수 있는데, 이는 그들의 전통적인 방식이 선형적인 시간 순서로 형성되는 것과는 반대이다. 프랑스 작가인 RolandBarthes와 MichelLeiris는 연대기를 거부하고 대신 지배적인 주제, 이미지, 꿈, 그리고 환상을 중심으로 그들의 자전적인 원문을 정리했다.

레이리스의 경우, 이것들은 눈에 띄게 에로틱하고 성적으로 되어 있습니다. 그는 자서선의 말미에 정신 분석학을 통해 배운 것에 대해 쓴다. '사람은 항상 자신과 동일하며, 삶에는 하나의 통일성이 있고, 어떤 일을 하든, 모든 것이 다른 형태로 번식하는 경향이 있는 작은 배열로 이어진다.' 여기서 오랜 기간 동안, 문화적 이상을 가진 자아의 통합은 집착의 결과로 인식되며, 프로이드의 표현에서, '반복하려는 충동' 으로 인식된다.

심리적으로 알려진 정체성의 이해는 자아의 개념 사이에서 다중적이고 분열적이며 그리고/또는 삶의 초기에 확립된 패턴에 의해 통합되는 것으로 이동한다.

영국의 심리학자 찰스 라이크로프트는 자서전에 대해 우리가 '정의상으로는 같은 사람' 이라고 말할 수 있지만 사실은 '단일한 자아가 아니라 오히려 다수의 자아이다… 적절한 시각적 비유는 화가가 자화상을 그리는 것을 중단하고 그것이 된다고 말했다. 거울의 시간적인 통로를 점유하고 과거와 현재의 자신들의 이미지와 함께 차례로 소통하는 누군가의 모습에 대해' 라고 말했다. 현대 작가 캐서린 맨스필드는 그녀의 저널에 '당신의 자신에게 진실하라' 는 처방전을 따르는 것이 불가능하다는 글을 썼다. 비록 그녀가 '고백, 특히 어린 시절의 기억들에 대한 분노' 를 '지속적이고 영구적인 자아에 대한 우리의 지속적이면서도 신비한 믿음' 으로 설명할 수 있을 것이라고 제안했지만, 실제로는 수백명의 자아들 중 어느 것인가? 폰탈리스에게는 '한권의 자서전을 쓰지 말고 그 중 10권이나 백권을 써야 한다. 왜냐하면 우리에게는 단 한 개의 인생이 있지만, 우리는 그 삶을(우리 자신에게)반성하는 수많은 방법이 있기 때문이다.'

프로이트(Sigismund Schlomo Freud)요, 융(Carl Gustav Jung)이에요?[81]

국민학교 입학식 코 닦는 손수건

가슴에 매단 하얀 손수건!

지금의 학생들은 유치원에서 기본적인 교육을 받고 학교에 입학하지만 그 시절에는 학교에서 하나부터 열까지 가르쳐야 했다.

입학식 날 한쪽 가슴에 학년 반이 적힌 명찰을 달고 그 아래에 코 닦는 하얀 손수건을 달았다.

---

81) 티사사. 자서전에 대한 결정적인 힘, 2020. 10. 7.

　지금 아이들은 이해하기 힘들지만 손수건을 가슴에 달고 입학식에 가는 것을 당연한 것으로 여기던 시절이다.

　나일론 옷은 질기고 바람을 잘 막아 주는 반면에 불에 약해서 추위에 불 가까이 가면 쪼그려 붙어서 옷을 망치기 일쑤였다.

교실 풍경

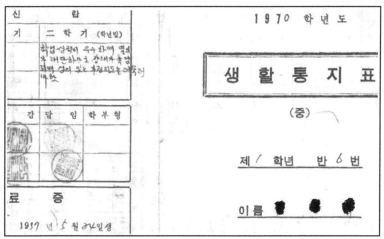

가슴 떨리는 통지표

난로 위 도시락, 추억의 시절 도시락

아...! 흰 쌀밥 위에 계란

추억 속의 풍금

국 민 교 육 헌 장

우리는 민족중흥의 역사적 사명을 띠고 이 땅에 태어났다.
조상의 빛난 얼을 오늘에 되살려,
안으로 자주 독립의 자세를 확립하고,
밖으로 인류 공영에 이바지할 때다.
이에, 우리의 나아갈 바를 밝혀 교육의 지표로 삼는다.

성실한 마음과 튼튼한 몸으로, 학문과 기술을 배우고 익히며,
타고난 저마다의 소질을 계발하고,
우리의 처지를 약진의 발판으로 삼아,
창조의 힘과 개척의 정신을 기른다.

공익과 질서를 앞세우며 능률과 실질을 숭상하고,
경애와 신의에 뿌리박은 상부상조의 전통을 이어받아,
명랑하고 따뜻한 협동 정신을 북돋운다.

우리의 창의와 협력을 바탕으로 나라가 발전하며,
나라의 융성이 나의 발전의 근본임을 깨달아,
자유와 권리에 따르는 책임과 의무를 다하며,
스스로 국가 건설에 참여하고 봉사하는 국민정신을 드높인다.

반공 민주 정신에 투철한 애국 애족이 우리의 삶의 길이며,
자유세계의 이상을 실현하는 기반이다.
길이 후손에 물려줄 영광된 통일 조국의 앞날을 내다보며,
신념과 긍지를 지닌 근면한 국민으로서,
민족의 슬기를 모아 줄기찬 노력으로 새 역사를 창조하자.

1968년 12월5일 대통령 박정희

'초등학교'에서 누구나 외워야 했던 국민교육헌장

국민교육헌장을 암기해야 했던 것은 국민학생들뿐만이 아니었다. 중고교생들도 암기해야 했던 것은 물론(모든 교과서 앞머리에 실리기도 했다),

입학시험과 국가고시 심지어 입사시험에도 의무적으로 관련 문제가 출제되었기 때문에, 국민교육헌장을 피할 길은 없었다.

문민정부(文民政府, 1993년~1998년, 김영삼대통령) 시절인 1994년, 국민교육헌장은 교과서에서 삭제되고 공식적인 기능이 사실상 소멸됐다.

학교종이 땡땡땡

우리 귀에 너무나 익숙한 동요다.

몽당연필로 침을 묻혀 누런 공책에 꾹꾹 눌러 쓰며 공부했던 학창시절의 추억을 떠올리게 하는 학교 종소리.

이제 학교종은 역사가 오래된 학교에 간혹 기념물로 걸려있는 골동품일 뿐이다. 학교 종소리도 동요가사에나 남아 있을까 실제로는 듣기 어렵다.

 60~70년대 혼분식 장려운동으로 흰쌀밥만 싸오던 애들은 교육감의 점심시간 시찰시 선생님의 지시에 황급히 도시락 뚜껑을 닫았던 적도 있었다.

 반찬통의 고무밴드가 잘 벗겨져 가방에 김치국물이 흘러내려서 교과서와 공책에 배이기도 했던 선학 알미늄의 양은 도시락.

학생의 공부방

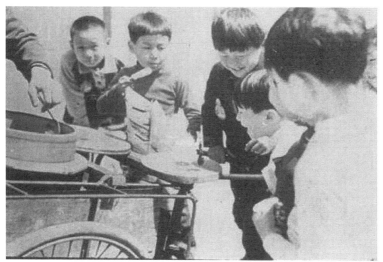

등교 때와 방과 후에 등장했던 학교 앞의 잡상인. 번데기장수, 버들붕어장수, 병아리장수, 소년동아일보장수, 생강엿장수, 솜사탕장수.

음악시간에 당번들이 교실로 들어날랐던 그 시절의 풍금

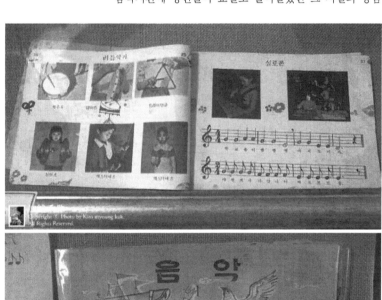

　그때 그시절 그 추억속의 초등학교 시절에 학교종이 땡땡땡 이야기 모음

　학교 종이~ 땡땡땡!!! 어서 모이자!!! 선생님이 우리를 기다리신다~ ♪♬

　지난 2006년 2월 101세의 나이로 미국에서 작고한 故김메리 여사가 1945년 광복 직후 작사·작곡한 동요다.

　학교 종이 땡땡땡 어서 모이자~

　동요(노래) 제목 : 학교종, (故) 김메리 작사 작곡 - 악보

시험 볼 때의 장벽?

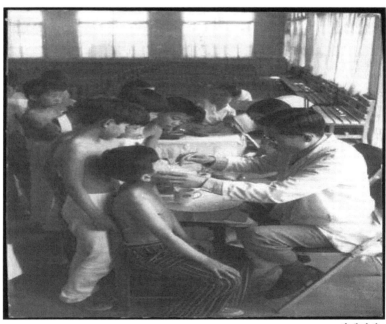

신체검사

운동회날 부채춤

단체 벌 받기

추억의 국민학교 때 참잘했어요. 상 별 검 가정지도요함 도장

　　이젠 아련한 추억으로 남은 그때 그 시절 다시 돌아갈 수 있다
면 얼마나 좋을까.[82]

"700만원씩은 걸치고 간다"… 엄마들의 데뷔 날 '학부모 총회'

입력 2023.03.19 오전 5:01   기사원문

지난 3월 2일 오전 서울 강동구의 한 초등학교에서 1학년 어린이와 학부모들이 입학식에 참석하고 있다 /뉴스1

---

82) 신용극. 추억의 사진(국민학교 시절), 2024. 5. 6.

이 자료는 60년대 아이들의 생활상을 담은 사진들입니다. 당시 가난이 무엇인 지도 모르며 힘겹게 살아오신 이분들. 이 분들도 지금의 나처럼 지난날을 그리워 하고 계실까요 아마도 현재 60대 말에서 70을 넘긴 어르신의 나이가 되었을 것이며, 지난날 조국근대화의 주역들입니다.

왼쪽 가슴에 명찰 달고 콧수건 달고, 그래도 그때는 도덕이 있었습니다. 선생님 존경할 줄도 알고 어른 무서워할 줄도 알았는데~~